nuevo

inicial **2**

CUADERNO DE EJERCICIOS

Virgilio Borobio

Proyecto didáctico
Equipo de idiomas de Ediciones SM

Autor
Virgilio Borobio

Diseño de interiores
Alfredo Casaccia

Diseño de cubierta
Alfonso Ruano
Julio Sánchez

Maqueta
Diego Forero Orjuela
Tjade Witmaar

Fotografías
Ángel Sánchez, Archivo SM, Doug Menuez, Firo Foto, Javier Calbet, Sonsoles Prada,
Julio Sánchez, Martial Colomb/Photodisc, Mark Shelley, Scott T. Baxter, Stocktrek

Ilustración
Luis Rojas
Ángel Sánchez

Coordinación técnica
Ana García Herranz

Coordinación editorial
Aurora Centellas
Susana Gómez

Dirección editorial
Concepción Maldonado

Edición corregida

Instituto Cervantes

Este método se ha realizado de acuerdo con el Plan Curricular del Instituto Cervantes,
en virtud del Convenio suscrito el 27 de junio de 2002.

La marca del Instituto Cervantes y su logotipo son propiedad exclusiva del Instituto Cervantes.

Comercializa

Para el extranjero:
EDICIONES SM – División de Comercio Exterior
Joaquín Turina, 39 – 28044 Madrid (España)
Teléfono (34) 91 422 88 00 – Fax (34) 91 508 33 66
E-mail: internacional@grupo-sm.com

Para España:
CESMA, SA – Aguacate, 43 – 28044 Madrid (España)
Teléfono 91 508 86 41 – Fax 91 508 72 12

© Virgilio Borobio Carrera - Ediciones SM, Madrid

ISBN: 84-348-7662-0 / Depósito legal: M-9.469-2003
Huertas I.G.,S.A. Fuenlabrada (MADRID)
Impreso en España-*Printed in Spain*

índice

ÁRBOL DE LETRAS ▪▪▪▪▪▪

1 **Forma** los nombres de seis profesiones y cinco medios de transporte con las letras que hay en el árbol.

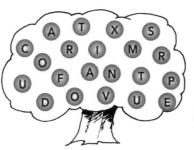

Profesiones

1. ......camarero......
2. ....
3. ....
4. ....
5. ....
6. ....

Medios de transporte

1. ......tren......
2. ....
3. ....
4. ....
5. ....

2 **Piensa** en lugares de trabajo relacionados con las profesiones que has escrito. Luego, escribe frases como en el modelo. Puedes usar el diccionario.

1. *Un camarero trabaja en un bar o en un restaurante.*
2. ....
3. ....
4. ....
5. ....
6. ....

CUESTIÓN DE LÓGICA ▪▪▪▪▪▪

3 **Lee** las claves y completa el cuadro.

1. La peluquera va a trabajar en metro.
2. Elena trabaja en una escuela.
3. La azafata no va a trabajar en autobús.
4. Begoña trabaja en una peluquería.
5. Lola no es maestra.
6. Una de las tres trabaja en un avión.
7. Elena no va al trabajo en coche.

NOMBRE	PROFESIÓN	LUGAR DE TRABAJO	MEDIO DE TRANSPORTE
....	....	....	....
....	....	....	....

4 **¿Con qué** frecuencia hace Mario las siguientes actividades? Escríbelo.

1. Ir a clase de inglés (martes y jueves).
   Va a clase de inglés dos días a la semana.

2. Visitar a su familia (los sábados).
   ....

3. Hacer gimnasia (a las 8 y a las 23 h).
   ....

4. Hacer los deberes (lunes, martes, miércoles, jueves y viernes). ....

5. Cambiar de trabajo (1988, 1990, 1992...).
   ....

6. Ir al cine (miércoles y sábado).
   ....

7. Coger vacaciones (julio).
   ....

5 **Lee** estos textos y adivina la profesión de cada una de las tres chicas.

• cantante	• dependienta	• escritora	• profesora de universidad
• médica	• ama de casa	• maestra	• taxista

1 Juana empieza a trabajar a las 9 h. y termina a las 17 h. Los fines de semana no trabaja. Siempre come en su trabajo y en verano tiene más de dos meses de vacaciones. Tiene un trabajo muy interesante y muy útil para la sociedad. Le gustan mucho los niños.

2 Ángela trabaja de 9.30 a 14 h. y de 16.30 a 20 h. Solo tiene un día libre a la semana, el domingo. Tiene un mes de vacaciones al año. Es muy moderna y muy simpática. Le gusta mucho hablar con la gente.

3 Nuria trabaja en casa. No tiene un horario fijo y muchos días trabaja por la noche. En algunas épocas trabaja mucho, y en otras, nada. Lo que más le gusta de su trabajo es que no tiene jefe. ¡Ah! Su trabajo es muy intelectual.

1. *Juana es* .... 2. .... 3. ....

6 **Escucha** y haz las preguntas correspondientes.

1. ¿Horas / trabajar / día?
   ¿Cuántas horas trabajas al día?
2. ¿Horas / trabajar / semana?
3. ¿Días libres / tener / semana?
4. ¿Vacaciones / tener / año?

DICTADO ▐▐▐▐▐▐

7 **Primero** escucha cada frase sin escribir. Luego, vuelve a escuchar las frases y escríbelas.

1. (5 palabras)
   ....

2. (5 palabras)
   ....

3. (10 palabras)
   ....

4. (5 palabras)
   ....

5. (4 palabras)
   ....

6. (2 palabras)
   ....

8 **Escribe** los nombres de dos profesiones que te gustan mucho y los de otras dos que no te gustan nada. Puedes usar el diccionario.

- ....
- ....
- ....
- ....

Descubre España y América Latina

9 **a** **Lee** esta lista de cosas importantes en un trabajo.

¿QUÉ ES IMPORTANTE PARA USTED EN UN TRABAJO?

- ☐ Tener un buen horario de trabajo.
- ☐ Ganar mucho dinero.
- ☐ Tener buenas relaciones con los compañeros y con los jefes.
- ☐ Tener muchas vacaciones.
- ☐ Tener un trabajo que le guste mucho.
- ☐ Tener un trabajo para toda la vida.
- ☐ Tener un trabajo cómodo, agradable y trabajar poco.

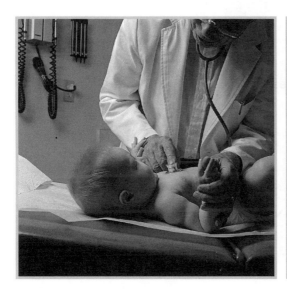 

b **Escríbelas** según la importancia que les des.

1. ....
2. ....
3. ....
4. ....
5. ....
6. ....
7. ....

c **¿Hay** otras cosas importantes para ti en un trabajo? Escríbelas.

- ....
- ....
- ....

Lección 2
preparatoria

LA COLUMNA

1 Escribe el sustantivo correspondiente a cada verbo. Luego, lee la palabra de la columna, que es el nombre de la capital de un país latinoamericano. ¿Sabes de qué país?

1. Llamar.
2. Regresar.
3. Continuar.
4. Visitar.
5. Llegar.
6. Viajar.
7. Ir.
8. Salir.
9. Volver.
10. Comenzar.

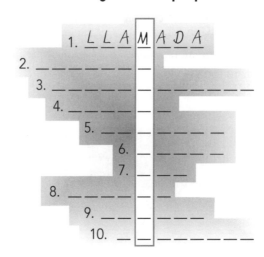

1. L L A M A D A
2. _ _ _ _ _ _ _ _
3. _ _ _ _ _ _ _ _ _ _
4. _ _ _ _ _ _ _ _
5. _ _ _ _ _ _ _
6. _ _ _ _ _ _
7. _ _ _ _
8. _ _ _ _ _ _
9. _ _ _ _ _ _
10. _ _ _ _ _ _ _

2 Mira la agenda de María José y escribe qué va a hacer mañana.

15 MARTES   **JUNIO**

9.00 – Entrevista de trabajo
12.00 – Conferencia
     de García Calvo
14.30 – Comida con Gustavo
16.30 – Tenis
18.30 – Llamar a la agencia
     de viajes
18.45 – Compras
22.00 – Cine

1. A las nueve va a tener una entrevista de trabajo
2. ....
....
3. ....
....
4. ....
....
5. ....
....
6. ....
....
7. ....
....

3 **Completa** las frases con la palabra correspondiente.

1. ¿Qué vas hacer este fin de semana?
   ¿Qué vas a hacer este fin de semana?

2. Ayer llegué tarde clase.
   ....

3. Estoy cansadísimo. Me parece que esta noche no a salir.
   ....

4. ¿Sabes quién estuve ayer? ¡Con Alberto!
   ....

5. La semana viene no voy a trabajar.
   ....

6. ¿Tú acuestas muy tarde?
   ....

7. Ayer fui trabajar en taxi; es que me desperté tardísimo.
   ....

4 **Relaciona** los elementos de cada columna para escribir frases como en el modelo.

• llamar al dentista
• ver a Felipe
• hablar contigo
• llamar al restaurante
• hablar con ellos
• llamar a la agencia de viajes

• preguntarte una cosa
• pedir hora
• comentarles este asunto
• decirle unas cosas
• anular el billete
• reservar mesa

1. *Tengo que llamar al dentista para pedir hora.*
2. ....
3. ....
4. ....
5. ....
6. ....

5 **Relaciona** las dos partes de cada frase.

• Para ser un buen ciclista
• Si quieres estar en forma
• Para ser presidente del Gobierno
• Si quieres estudiar en la universidad
• Para ser un buen relaciones públicas
• Para poder bañarse
• Si quieres estar muy moreno

hay que ser muy extrovertido.
tienes que tomar mucho el sol.
tienes que hacer deporte.
hay que entrenarse mucho.
hay que ir a la playa o a la piscina.
hay que ganar las elecciones generales.
tienes que aprobar el examen de ingreso.

6 | **Marina** empezó ayer los preparativos para irse mañana a Cuba a pasar un mes de vacaciones. Lee la nota y escribe qué hizo ayer y qué va a hacer hoy.

- Recoger el visado. ✔
- Cambiar dinero.
- Comprar carretes de fotos.
- Recoger el billete. ✔
- Hacer las maletas.
- Comprar una guía turística. ✔
- Llamar a un taxi para mañana.

1. *Ayer recogió el visado.*
2. *Hoy va a cambiar dinero.*
3. ....
4. ....
5. ....
6. ....
7. ....

7 | **Escucha** y haz las preguntas correspondientes.

1. ¿Salir / quedarte en casa?
   ¿Vas a salir o vas a quedarte en casa?
2. ¿Ver la televisión / hacer los deberes?
3. ¿Hacer la cena / cenar fuera?
4. ¿Telefonearle / escribirle una carta?
5. ¿Ir en metro / coger un taxi?

8 | **Escucha** y haz las frases correspondientes.

1. Volver.
   No sé si tengo que volver o no.
2. Ir por la mañana.
3. Esperarla.
4. Llegar pronto.
5. Ir a recogerlo.
6. Quedarme.

DICTADO ▌▌▌▌▌▌

9 | **Escucha** cada frase sin escribirla. Luego, vuelve a escuchar las frases y escríbelas.

1. ....
2. ....
3. ....
4. ....
5. ....

10 | **¿Qué** cosas tienes que hacer en clase de español? Escríbelo.

Tengo que hablar en español.
Tengo que...

Descubre España y América Latina

11 **a** **Lee** este programa del viaje que van a hacer Rosana y Rubén el mes que viene a Lago Agrio, en la Amazonia ecuatoriana.

AMAZONIA ECUATORIANA

1.er día:
Quito – Lago Agrio – Río Aguarico

Mañana: Avión de Quito a Lago Agrio.
Tarde: Navegación por el río Aguarico.
Cena en un lugar tropical, junto al río.

2.º día:
Río Aguarico – Lago Agrio

Mañana: Paseo por la selva hasta Sacha Urcu.
Almuerzo en el campamento Pacuya.
Tarde: Visita a un mercado indígena.

3.er día:
Río Aguarico – Quito

Mañana: Visita a la comunidad indígena de los cofanes.
Almuerzo en la comunidad.
Tarde: Regreso a Quito.

b **¿Con qué** actividad del programa relacionas estas imágenes? Escríbelo debajo de cada una de ellas.

Ⓐ

....

Ⓒ

....

Ⓑ

....

c **Escribe** lo que van a hacer Rosana y Rubén en la Amazonia ecuatoriana.

El primer día van a ir en avión de Quito a Lago Agrio por la mañana...

CRUCIGRAMA ▌▌▌▌▌▌

1 **Mira** los dibujos y completa el crucigama.

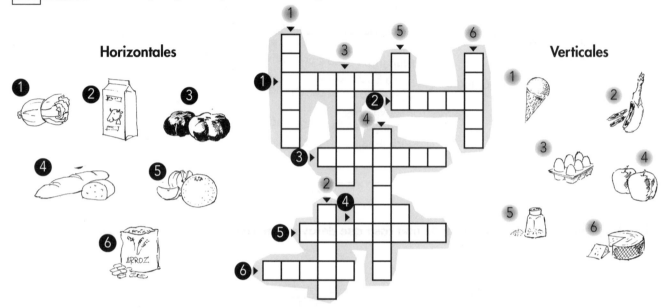

Horizontales

Verticales

2 **a** **Escribe** el nombre de los alimentos de la actividad 1 en la columna correspondiente.

un(a)	un litro de	un kilo de	un paquete de	un trozo de	una docena de	una barra de

b **¿Puedes** añadir alguno más? Escríbelo en la columna correspondiente.

3 **En un** supermercado se puede comprar todo tipo de productos alimenticios, pero también hay tiendas que venden ciertos alimentos. Relaciona cada uno de estos alimentos con la tienda donde lo venden.

sardinas ....2............
plátanos ....
chuletas ....
pollo ....
merluza ....
queso ....
naranjas ....
chorizo ....
huevos ....
pan ....
jamón ....

CARNICERÍA **1**

Pescadería **2**

PANADERÍA **3**

POLLERÍA **4**

FRUTERÍA **5**

CHARCUTERÍA **6**

4 **Escribe** el nombre correspondiente debajo de cada dibujo.

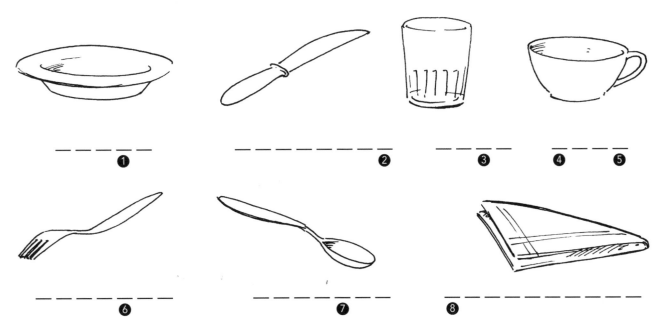

– – – – – ❶   – – – – – ❷   ❸ ❹ ❺

– – – – – ❻   – – – – – ❼   – – – – – ❽

Usa las claves y escribe el nombre de una cosa que desayuna mucha gente.   ❶ ❷ ❸ ❹ ❺ ❻ ❼ ❽

5 **Ordena** este menú.

- Chuletas de cordero.
- Naranja.
- Arroz a la cubana.
- Ensalada.
- Yogur.
- Huevos con chorizo.
- Macarrones con tomate.
- Sardinas a la plancha.
- Jamón con melón.
- Merluza a la vasca.
- Tarta de queso.
- Sopa.
- Pollo frito con patatas.
- Plátano.

Casa **HILARIO**

Menú

Primero _____
_____
_____

Segundo _____
_____
_____

Postre _____
_____
_____

8 € 40

6 **Agrupa** estos alimentos y bebidas. Puedes usar el diccionario.

pollo   merluza   trucha   naranjas   lechuga   plátanos   tomates

sardinas   cebollas   jamón   vino   chuletas de cordero   agua   manzanas   cerveza

Carne	Pescado	Fruta	Verdura	Bebidas
Pollo				

7 | **Todas** las frases de este diálogo tienen un error o les falta alguna palabra. Corrígelas y escríbelas de nuevo.

— ¿Qué va tomar?

• ¿Cómo es el arroz de la cubana?

— Pues lleva arroz, tomate, un huevo y un plátano fritas.

• Entonces, arroz a la cubana y, de segundo..., merluza a la romana de ensalada.

— ¿Y por beber?

• Agua, agua mineral de gas.

— ¿Qué va a tomar a postre?

• Tarta con queso.

¿Qué va a tomar?

• _¿Cómo es el arroz a la cubana?_

— ....

• ....

....

— ....

• ....

— ....

• ....

8 | **Ordena** este chiste.

a. "Lo mismo que tú."
b. Llegan dos amigos a un bar y uno le pregunta al otro:
c. "Para mí, otros dos."
d. "¿Qué vas a tomar?"
e. Entonces el primero le dice al camarero:
f. Y el segundo:
g. "¡Camarero, dos cafés!"

Orden:

b						

SOPA DE LETRAS ||||||

9 | **a** | **Busca** diez formas verbales en presente de indicativo. Todas son irregulares.

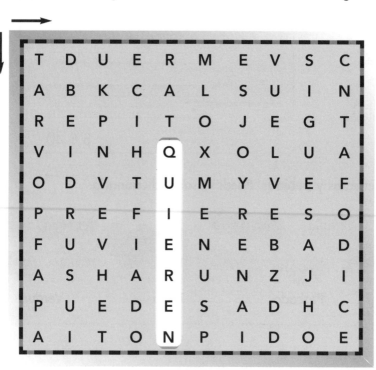

T	D	U	E	R	M	E	V	S	C
A	B	K	C	A	L	S	U	I	N
R	E	P	I	T	O	J	E	G	T
V	I	N	H	Q	X	O	L	U	A
O	D	V	T	U	M	Y	V	E	F
P	R	E	F	I	E	R	E	S	O
F	U	V	I	E	N	E	B	A	D
A	S	H	A	R	U	N	Z	J	I
P	U	E	D	E	S	A	D	H	C
A	I	T	O	N	P	I	D	O	E

b **Ahora** escribe el infinitivo de esos verbos. Agrúpalos según la irregularidad que tengan en presente.

<table>
<tr><td>e → i</td><td></td><td></td></tr>
<tr><td></td><td></td><td></td></tr>
</table>

10 **Escucha** y haz las preguntas necesarias para pedir cosas al camarero.

| • Mayonesa. | • Cuchara. | • Vaso. | • Agua. | • Pan. | • Cuchillo. |

¿Nos trae un poco más de mayonesa, por favor?

11 **Piensa** en los alimentos que tomas habitualmente y escríbelos.

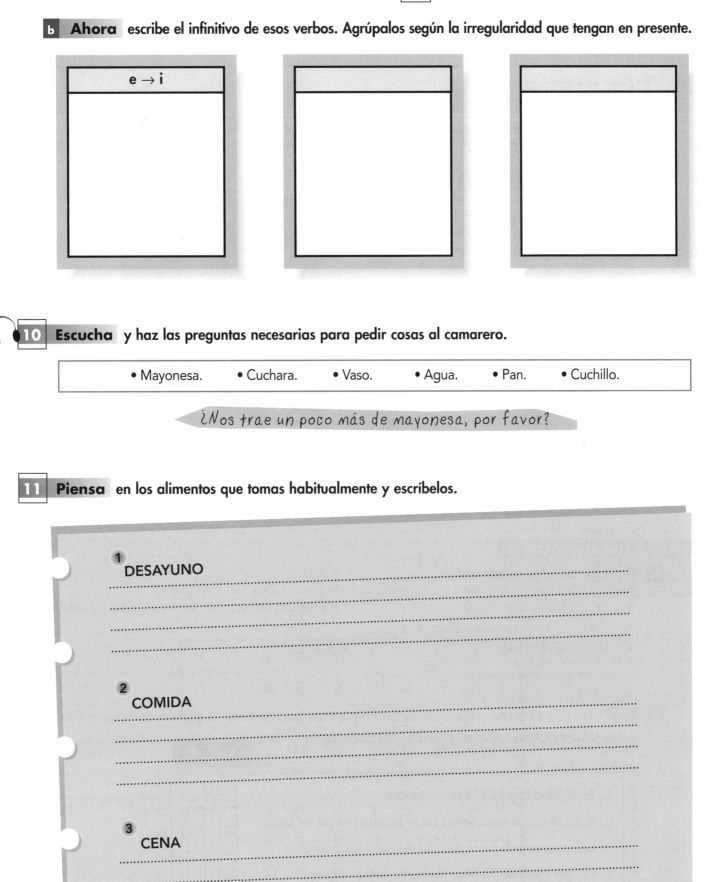

1 DESAYUNO

....
....
....

2 COMIDA

....
....
....
....

3 CENA

....
....
....

Descubre España y América Latina

12 a **Lee** este artículo.

El 12 % de los madrileños come habitualmente fuera de casa

Según un estudio realizado por el Ayuntamiento, en Madrid hay 712 hoteles, hostales y pensiones, 3.775 restaurantes y 12.828 cafeterías, bares y tabernas (un local por cada 235 habitantes). También indica el estudio que el 12 % come fuera de su domicilio. Un 7,5 % lo hace en su lugar de trabajo y un 4,5 % en restaurantes. Los que más comen fuera son los agentes comerciales, los representantes y los directores; los que menos, los parados.

Por clases sociales, la alta es la que más come fuera (un 15,8 %), seguida de la media (14,5 %) y la media-baja (6,9 %). En general, a partir de los 45 años la gente prefiere comer en casa. Finalmente el estudio señala que en los bares y *pubs* entra un 16 % más de hombres que de mujeres.

EL PAÍS (adaptado)

b **Piensa** en estas cuestiones:

- ¿Es interesante este artículo?
  ....

- ¿Has entendido todo?
  ....

- ¿Crees que es necesario entender todas las palabras?
  ....

- ¿Por qué?
  ....

c **Lee** otra vez el texto y fíjate en lo que necesitas para señalar si son verdaderas o falsas estas informaciones. Puedes usar el diccionario.

	V	F
1. En Madrid hay 12.828 restaurantes.	☐	☐
2. El 88 % de los madrileños come habitualmente en casa.	☐	☐
3. Los ricos comen fuera de casa más que los pobres.	☐	☐
4. Las personas de 50 años prefieren comer en casa.	☐	☐
5. A los bares de Madrid van más mujeres que hombres.	☐	☐

ROMPECABEZAS ▐▐▐▐

1 **La última** letra de una palabra es la primera de la siguiente.

1. Son de papel y sirven para anunciar películas, conciertos, etc.
2. La hija de mi hermano es mi ....
3. La usamos para escribir direcciones, teléfonos y cosas que tenemos que hacer.
4. Lo contrario de "estrecho".
5. En este teatro representan unas .... muy buenas.
6. Tiene siete días.
7. Participio de "abrir".
8. Participio de "oír".

2 **Ordena** estas palabras de menor a mayor duración.

mes siglo trimestre segundo semestre
minuto semana día año hora

1. segundo
2. ....
3. ....
4. ....
5. ....
6. ....
7. ....
8. ....
9. ....
10. ....

3 **Completa** este cuadro con las formas verbales correspondientes.

INFINITIVO	PRESENTE (1ª persona del singular)	PARTICIPIO
empezar		
	digo	
		leído
hacer		
	vuelvo	
		esperado
poner		
	escribo	
		podido
ver		
	descubro	
		pedido

4   **Escribe** las frases añadiendo las palabras necesarias.

1. Todos los días / levantarse / ocho / hoy / levantarse / nueve.
   Todos los días me levanto a las ocho, pero hoy me he levantado a las nueve.

2. Normalmente / venir / coche / hoy / venir /metro.
   ....

3. Todas las semanas / escribir / muchas cartas / esta solo / escribir / una.
   ....

4. Siempre / volver / pronto / casa / hoy / volver / tarde.
   ....

5. Todos los días / hacer / muchas cosas / hoy / no hacer / nada.
   ....

6. Todos los días / empezar / trabajar / nueve / hoy / empezar / diez.
   ....

7. Todas las semanas / ver / varias películas / esta solo / ver / una.
   ....

5   **Escucha** y escribe lo que ha hecho hoy esta persona antes de salir de casa.

Se ha levantado a las ocho. ....

....

6   **Mira** a estas dos personas en un parque a las seis de la tarde. Elige a una de ellas y escribe lo que creas que ha hecho hoy. No te olvides de usar "primero", "y", "luego" y "después" para unir las frases.

....
....
....
....
....

7   **Ordena** y puntúa las frases de este diálogo.

— pero no perdona oído llegar he que tarde despertador es el por.

• igual es bah

— de lo verdad siento

• te no importancia hombre no preocupes tiene
— *Perdona* ....

• ....

— ....

• ....

8   **Escucha** y haz las frases correspondientes.

1. Perder el tren.
   Perdona por llegar tarde, pero es que ....
   he perdido el tren. ....

2. No oír el despertador.

3. Salir muy tarde del trabajo.

4. Encontrarse con un amigo.

5. Dormirse.

6. Tardar mucho en encontrar este sitio.

9   **Piensa** en palabras o expresiones que te resultan difíciles de recordar. Luego escribe frases con ellas.

....
....

Descubre España y América Latina

10 a **Lee** las opiniones de estos estudiantes de español y complétalas con estas palabras.

• nervioso	• impuntualidad	• bebida	• horarios

¿ QUÉ LE SORPRENDE DE ESPAÑA?

"Los .... de las comidas. Los españoles desayunan, comen y cenan muy tarde. ¡Ah!: también se acuestan muy tarde, pero creo que por la mañana se levantan pronto."

Kerstin (Suecia).

"En Madrid hay muchos bares y la gente va mucho al bar. Una cosa que me gusta mucho es que, cuando pides una ...., te dan una tapa gratis."

Eriko (Japón).

"La ....
Hay españoles que llegan tarde a las citas y yo creo que no les preocupa; es una mala costumbre."

Florence (Bélgica).

"Muchas veces me dicen: 'Tranquilo, no te preocupes', y no estoy .... ni preocupado. Creo que lo dicen para darme confianza o para expresar que algo no es muy importante."

Eslava (Ucrania).

b **¿Te identificas** con alguno de ellos?

....

....

1 **Busca** el intruso y justifícalo.

con	a menudo	dice	tontos	coche	hecho
para	a veces	sé	calendarios	tenedores	digo
(entrar)	siempre	ver	precioso	piernas	salido
de	lejos	creo	barato	árboles	visto
en	alguna vez	pensamos	amable	autobuses	estudiado

1. Es infinitivo, no presente.
   ....

2. Es un sustantivo, pero no plural.
   ....

3. Es un verbo, no una preposición.
   entrar...

4. Es presente, no participio.
   ....

5. No expresa frecuencia.
   ....

6. No es un adjetivo.
   ....

2 **Haz** doce preguntas con los elementos de cada caja y escríbelas.

hablado	barco
ido	un famoso
jugado	Roma
bebido	en / a / al / con / ø
¿Has tocado	alguna vez
estado	un ovni
escrito	Estados Unidos
visto	golf
	un poema
	tequila
	un saxofón

1. ....
2. ....
3. ....
4. ....
5. ....
6. ....
7. ....
8. ....
9. ....
10. ....
11. ....
12. ....

3 **Escribe** tus respuestas a las preguntas del ejercicio anterior.

1. ....
2. ....
3. ....
4. ....
5. ....
6. ....

7. ....
8. ....
9. ....
10. ....
11. ....
12. ....

4 **Escribe** dos frases sobre cada una de estas personas indicando:

a. ¿Qué han hecho ya?

b. ¿Qué no han hecho todavía?

1. Víctor estudia 2.º de Medicina.
   a) *Ya ha empezado la carrera de Medicina.*
   b) *Todavía no ha terminado sus estudios.*

2. Son las once de la noche. Araceli está en el salón de su casa y ve una película.
   a) ....
   b) ....

3. Es la hora de la comida e Ignacio no está en su despacho.
   a) ....
   b) ....

4. Son las nueve de la mañana y Javier está en la parada del autobús para ir a clase.
   a) ....
   b) ....

5. Son las once de la noche. Paco está en la cama y lee una novela.
   a) ....
   b) ....

5 **a** **Haz** una lista de siete u ocho cosas que haces todos los días.

1. ....
2. ....
3. ....
4. ....
5. ....
6. ....
7. ....
8. ....

b **Ahora** escribe cuáles has hecho ya hoy y cuáles no has hecho todavía.

1. ....
2. ....
3. ....
4. ....
5. ....
6. ....
7. ....
8. ....

6 **Ordena** y escribe las frases correctamente.

1. estoy contigo acuerdo yo de
   ....

2. tiene que Marisa creo razón yo
   ....

3. ¿Jesús acuerdo estás con de?
   ....

4. creo razón que yo pues tienes no
   ....

7 **Escucha** y haz las preguntas correspondientes.

1. ¿Estar / Moscú?
   ¿Has estado alguna vez en Moscú?
2. ¿Jugar / baloncesto?
3. ¿Ir / Portugal?
4. ¿Comer / arroz a la cubana?
5. ¿Bañarse / Mediterráneo?

8 **¿Intentas** aprender más español fuera de clase? ¿Cómo? Escríbelo.

• ....
• ....

Descubre España y América Latina

9 **a** **Escribe** las palabras debajo de las fotos.

> • Playa caribeña. • Queso manchego. • Monumento colonial.
>
> • Jamón ibérico. • Flauta andina.

....

....

....

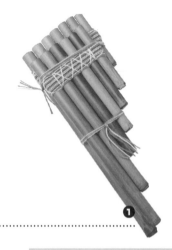

....

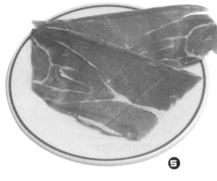

....

b **¿Con** qué país o países asocias cada una de esas cosas?

1. .... 4. ....
2. .... 5. ....
3. ....

c **Escribe** sobre tus experiencias en relación con ellas.

(No he estado nunca en una playa caribeña.)

1. .... 4. ....
2. .... 5. ....
3. ....

1 **Añade** las vocales necesarias y escribe nombres de prendas de vestir.

cms *camisa* ....

chqt ....

fld ....

cmst ....

mds ....

vqrs ....

pntlns ....

vstd ....

trj ....

czdr ....

brg ....

clctns ....

2 **Busca** seis diferencias y escríbelas.

1. *El señor lleva una chaqueta.* ....   *El señor lleva una cazadora.* ....

2. ....

3. ....

4. ....

5. ....

6. ....

3 **Observa** de nuevo a esas personas y escribe frases comparándolas. Puedes usar los adjetivos del recuadro.

- alto/a
- joven
- gordo/a
- guapo/a

1. *La chica es más alta que el chico.* ....

2. ....

3. ....

4. ....

4 **Escribe** otras frases expresando las mismas ideas del ejercicio 3, pero de manera diferente.

1. *El chico es más bajo que la chica.* ....
2. ....
3. ....
4. ....

5 **Piensa** en dos familiares tuyos y compáralos.

(Mi hermano Albert es más joven que
mi hermana Dorothy, pero no es tan
moderno como ella).

6 **Busca** el intruso y justifícalo.

1. corta / estrecha / oscuras / cómoda / barata.
2. rosa / blanca / amarillo / queso / verde.
3. abrigo / sueño / sujetador / corbata / falda.
4. árbol / pizarra / papelera / lápiz / cuaderno.
5. lana / algodón / tela / plástico / campo.

A. No es una prenda de vestir. ......*Sueño*......
B. No es una cosa de la clase. ....
C. Es adjetivo, pero plural. ....
D. No es un material. ....
E. No es un color. ....

7 **Combina** las palabras necesarias para formar preguntas que normalmente hacen el dependiente o el cliente de una tienda de ropa.

de	cuánto	lo	es
para	qué	talla	cuesta
ø	cómo	queda	quiere
	quién	tal	desea
			le

1. ¿ *De qué es* ....?
2. ¿ ....?
3. ¿ ....?
4. ¿ ....?
5. ¿ ....?
6. ¿ ....?

CRUCIGRAMA ▐▐▐▐▐

8 **Completa** el crucigrama.

Horizontales

1. — ¿Puedo ... esta chaqueta?
   • Sí, mire, el probador está a la derecha.

2. Hay muchas prendas de vestir que son de ... .

3. Estos pantalones son un poco más caros ... aquellos.

4. Lo contrario de negro.

5. La llevan las mujeres.

6. ¡Huy! Este jersey es muy corto. Yo ... quería un poco más largo.

Verticales

1. — ¿Es ... usted?
   • Sí.

2. Lo contrario de barata.

3. Lo contrario de largo.

4. — ¿Sabe qué ... tiene?
   • La 40.

5. — Quería una camisa de algodón para mí
   • ¿De qué color ... quiere?

6. Lo contrario de ancho.

9 **Haz** las preguntas correspondientes usando la información dada.

1. Color (medias).
   ¿De qué color las quiere?

2. Talla (blusa).
   ....

3. Número (zapatos).
   ....

4. Talla (calzoncillos).
   ....

5. Color (traje).
   ....

6. Color (calcetines).
   ....

7. Número (botas).
   ....

8. Color (bragas).
   ....

DICTADO GRÁFICO ▐▐▐▐▐▐

10 **Prepara** lápices de colores para dibujar a Vicente.

a **Escucha** la descripción e intenta imaginarte a Vicente.

b **Escucha** con pausas y dibújalo.

11 **Escucha** y haz las frases correspondientes.

1. (La camisa) muy bien.
   Me queda muy bien.
2. (Los pantalones) un poco anchos.
3. (La falda) no/bien.
4. (La chaqueta) no/mal.
5. (El abrigo) bastante bien.
6. (Los vaqueros) un poco largos.

12 **Haz una** lista de las prendas que más llevas. No te olvides de poner los colores.

• ....
• ....
• ....
• ....

13 **a** **Lee** este texto. ¿Cuál es la idea principal? Escríbela.

La exportación de frutas y verduras chilenas

La exportación es una actividad que tiene una gran importancia en la economía chilena. En la última década aumentaron mucho las exportaciones de frutas y verduras. La situación geográfica de Chile contribuye de manera decisiva a ello: está en el hemisferio sur y, consecuentemente, las estaciones del año no coinciden con las del hemisferio norte. Las exportaciones a muchos países del mundo permiten comprar en invierno diferentes productos agrícolas de origen chileno: melones, uvas, naranjas, manzanas, melocotones, cebollas, etcétera.

....
....
....

b **Escribe** el nombre de estas frutas y verduras.

....

....

c **¿Crees** que en invierno se pueden comprar frutas y verduras chilenas en tu ciudad? Averígualo si no lo sabes.

....
....
....
....

LA COLUMNA ▐▐▐▐▐

1 **Escribe** cada respuesta en la línea correspondiente. Luego, lee la palabra de la columna. Es el nombre de un escritor español muy famoso.

1. Las puedes ver en el cine.
2. Gerundio de "decir".
3. Día de la semana.
4. Bebida alcohólica.
5. Mueble donde se guarda la ropa.
6. Lo contrario de "siempre".
7. Parte del cuerpo.
8. Se le dice a una persona el día de su cumpleaños.
9. Gerundio de "sentarse".

1. _ _ _ _ | _ _ _ _ _
2. _ _ _ _ | _ _ _ _
3. _ _ _ _ | _ _ _ _ _
4. _ _ _ _ | _ _ _ _
5. _ _ _ _ | _ _ _ _ _
6. _ _ _ | _ _ _ _
7. _ _ _ | _ _ _ _
8. _ | _ _ _ _ _ _ _ _
9. _ | _ _ _ _ _ _ _

2 **Lee** las descripciones e identifica a las personas en el dibujo. Luego, escribe lo que está haciendo cada una de ellas.

1. Laura es una chica joven que lleva una camiseta y está muy contenta.
2. Julián lleva un traje y está muy contento. Le encanta bailar.
3. Rita es una señora de unos 45 años que no lleva falda ni pantalones. Le gustan mucho los canapés.
4. Ricardo tiene unos 50 años y lleva gafas y un traje muy bonito. Tiene bastante calor.
5. María es muy joven. No lleva pantalones y le gusta mucho el vino.

1. Laura *está* ....
2. Julián ....
3. Rita ....
4. Ricardo ....
5. María ....

3 **Piensa** en cuatro personas que conoces bien y escribe lo que creas que están haciendo ahora.

Creo que ... está ... .
....
....
....

4 Completa este diálogo con las siguientes palabras (hay una que se repite). ¡Atención a las mayúsculas!

| • te • es • cumpleaños • ti • qué |

— ¡Feliz ...., y que pases un buen día!
• Gracias, Eva.
— Mira, esto es para ....
• Humm..., muchísimas gracias. A ver, a ver qué
   .... ¡Una pulsera! ¡ .... bonita!
— ¿............. gusta?
• Me encanta. .... preciosa.

5 a Ordena las letras de los meses del año.

OBREREF	ECORBUT	OATSOG
....	....	....
REVOBEMIN	IRLAB	OLUJI
....	....	....
RNEOE	BIMECRIDE	INUOJ
....	....	....
YMOA	TERIBESPEM	AMROZ
....	....	....

b Ahora escríbelos en orden.

1. enero ....
2. ....
3. ....
4. ....
5. ....
6. ....
7. ....
8. ....
9. ....
10. ....
11. ....
12. ....

6 Piensa en cinco fechas importantes y escribe frases diciendo por qué son importantes.

1º mayo – El Primero de Mayo es el día de los trabajadores.

1. ....
2. ....
3. ....
4. ....
5. ....

7 Construye la frase correctamente usando "es" o "está".

1. Esa camisa de algodón, ¿verdad?
   ....
2. Dice que muy enfadada.
   ....
3. Tu hermana mayor médica, ¿verdad?
   ....
4. Mira, esa de rojo mi vecina.
   ....
5. Creo que Soria no muy lejos de Madrid.
   ....
6. Tu cumpleaños en abril, ¿verdad?
   ....
7. Ahora no puede ponerse, duchándose.
   ....
8. ¿Sabes qué día hoy?
   ....
9. ¡Qué buena esta tortilla!
   ....
10. ¡Uff...! ¡Ya la una y media!
    ....

8 Escucha y haz las frases correspondientes.

1. Esta sopa. → *¡Qué buena está esta sopa!*
2. Esta ensalada.
3. Estas chuletas.
4. Este filete.
5. Estos macarrones.
6. Este pollo.

9 Dictado. Primero escucha cada frase sin escribir. Vuelve a escuchar las frases y escríbelas.

1. ....
2. ....
3. ....
4. ....
5. ....
6. ....

10 Piensa en tres palabras o expresiones que dices mucho en tu lengua y no sabes cómo se dicen en español. Averígualo y escríbelas.

• ....
• ....
• ....

Descubre España y América Latina

11 **a** **Lee** estas opiniones sobre las fiestas. ¿Te identificas con alguna de ellas?

• "A mí me encanta organizar fiestas, recibir a mis amigos en casa y tratarlos bien."

• "No voy nunca a fiestas. Prefiero salir con mis amigos y hacer lo que nos gusta."

• "Lo mejor de las fiestas es que puedes bailar y divertirte. Yo bailo mucho."

• "Cuando voy a una fiesta, me gusta hablar con la gente, pero no bailo nunca."

• "Yo voy a todas las fiestas a las que me invitan, y lo que más me gusta de una fiesta es que todos están alegres."

• "Lo que más me gusta de las fiestas es que puedo ver gente a la que no veo con frecuencia."

• "A mí no me gustan mucho las fiestas: hay mucho humo y ruido, demasiada gente, casi no se puede hablar..."

• "Lo que más me gusta de las fiestas es que puedo estar con mis amigos y divertirme con ellos."

• "Lo mejor de las fiestas es que puedes conocer gente y hacer amigos."

....
....
....

b **Escribe** las respuestas a estas preguntas.

• ¿Vas a muchas fiestas? ¿Y organizas muchas?

....
....
....

• ¿Qué es lo que más te gusta de ellas? ¿Y lo que menos?

....
....
....

1 **a** **Añade** las vocales necesarias y escribe formas verbales en pretérito indefinido.

1. c __ m __ __ r __ n   *comieron* ....   7. __ st __ v __ m __ s   ....

2. v __ v __   ....   8. ll __ g __ __   ....

3. h __ z __   ....   9. __ scr __ b __ __   ....

4. c __ n __ c __ st __   ....   10. f __ __ st __ __ s   ....

5. c __ mpr __ r __ n   ....   11. s __ l __ __   ....

6. __ mp __ z __ st __ __ s   ....   12. __ st __ d __ __ st __ __ s   ....

b **Ahora escribe** frases con las formas verbales del apartado a) que te parezcan más difíciles.

- ....
- ....
- ....
- ....
- ....

2 **Completa** el cuadro. Usa las personas gramaticales propuestas en cada caso.

INFINITIVO	PRESENTE	PRETÉRITO INDEFINIDO
cenar	ceno	cené
		vinimos
	hacen	
ser		fuiste
	vas	
		entró
		regalamos
	habla	
		bebisteis
	están	
		vio
	recibimos	
		dejasteis
	volvemos	

3 **Rafael** es un chico de Soria que pasó el último fin de semana en Madrid. Usa la información de su billete y los verbos propuestos para escribir sobre su viaje.

| ir | salir | llegar | durar | costar | fumar |

Fue en tren.

....

....

....

....

....

4 **A todas** estas referencias temporales les falta una palabra. Complétalas.

1. año pasado _el año pasado_ ....
2. junio ....
3. hace tres ....
4. semana pasada ....
5. 1987 ....
6. ayer la tarde ....
7. 10 de agosto ....
8. el jueves por noche ....
9. en octubre 1990 ....
10. domingo ....

5 **Forma** frases con las que tú te sientas más identificado y escríbelas en tu cuaderno.

Anoche	he visto	muchísimo.
Hoy	fui	un sombrero.
El otro día	estuve	al dentista.
El mes pasado	no hice	muy tarde de clase.
El año pasado	he trabajado	una película buenísima.
	salí	los deberes.
	me compré	de vacaciones en el extranjero.

6 **a** **Ordena** y escribe estas preguntas. No te olvides de las mayúsculas.

1. ¿semana qué de fin el tal?
   ¿Qué tal el fin de semana?
   ....

2. ¿el estuvisteis vacaciones año dónde pasado de?
   ....

3. ¿muy te ayer acostaste tarde?
   ....

4. ¿qué Pamplona salisteis a de hora?
   ....

5. ¿tal ayer Concha en de casa qué?
   ....

6. ¿costó cuánto el te billete?
   ....

7. ¿por viernes saliste el noche la?
   ....

b **Ahora relaciona** esas preguntas con estas respuestas.

A. .... En Cuba.

B. .... A las siete.

C. ....1........ ¡Ah! Muy bien. Estuve en la sierra.

D. .... No, a las once.

E. .... tres euros con ochenta y cinco céntimos.

F. .... No, me quedé en casa leyendo.

G. .... Muy bien. Cenamos y luego estuvimos hablando hasta las tres.

7 Escribe una pregunta adecuada a cada respuesta.

1. — ....
   • Estuve en Sevilla.

2. — ....
   • No, fui con una compañera de trabajo.

3. — ....
   • Sí, muchísimo. Es una ciudad preciosa.

4. — ....
   • El domingo por la tarde.

5. — ....
   • Sí, fui al cine con Miguel.

6. — ....
   • La última película de Almodóvar.

7. — ....
   • No mucho. Es un poco lenta y aburrida.

8 ¿Te acuerdas de lo que hiciste el último fin de semana? Escríbelo.

9 Escucha y haz las preguntas correspondientes.

1. ¿Qué / hacer / anoche?
   ¿Qué hiciste anoche? ....
2. ¿Cuándo / estar / en Londres?
3. ¿Cómo / ir?

4. ¿Por qué no / llamar / ayer?
5. ¿Con quién / salir / anoche?
6. ¿A qué hora / levantarse / el domingo?
7. ¿Dónde / conocer / a Carmen?

10 a Escribe las formas verbales que has aprendido en esta lección y que te parecen difíciles de pronunciar.

b Intenta pronunciarlas correctamente. Si necesitas ayuda, puedes consultar la actividad 4 del libro del alumno.

Descubre España y América Latina

11 **a** **Lee** el texto y busca un mínimo de siete verbos en pretérito indefinido. Luego, escribe las formas y los infinitivos correspondientes.

Madrileños y vascos fueron quienes más viajaron en vacaciones

■ EFE. Madrid

Los ciudadanos de la Comunidad de Madrid y los del País Vasco fueron los que más viajaron en los periodos de vacaciones, según datos del Ministerio de Transportes. Un estudio de dicho departamento precisa que el 76,3 % de la población que reside en la autonomía madrileña decidió viajar en sus vacaciones, y que el 71,8 % de los habitantes del País Vasco también lo hizo.

La media nacional de viajeros se situó en el 53,4 %.

El resto de los ciudadanos –un 46,6 %– no se fue de vacaciones.

Un 21,6 % de los españoles se desplazó al menos en dos ocasiones en viaje de vacaciones, mientras que el resto, el 31,8 %, realizó

sólo un desplazamiento.

Entre los que no pudieron salir de vacaciones destacan los gallegos y los andaluces, que en un 68,2 % y en un 65,6 %, respectivamente, decidieron quedarse en casa.

EL PAÍS

1. fueron .... – .... ser ....
2. .... – ....
3. .... – ....
4. .... – ....
5. .... – ....
6. .... – ....
7. .... – ....
8. .... – ....

b **Lee de nuevo** la noticia y señala si son verdaderas o falsas estas informaciones. Puedes usar el diccionario.

	V	F
1. Es un artículo sobre el turismo extranjero en España.	☐	☐
2. Los datos proceden del Ministerio de Transportes.	☐	☐
3. El 53,4% de los españoles no se fue de vacaciones.	☐	☐
4. El 21,6% de los españoles hizo dos viajes de vacaciones como mínimo.	☐	☐
5. En las vacaciones, los gallegos viajaron menos que los vascos.	☐	☐

1 **Escribe** las formas correspondientes al pretérito indefinido. La última letra de una palabra es la primera de la siguiente.

1. Ser (vosotros).
2. Salir (ella).
3. Olvidar (ellos).
4. Nacer (yo).
5. Informar (tú).
6. Explicar (nosotros).
7. Saludar (yo).
8. Entender (nosotros).

2 **Ordena** los verbos siguiendo el transcurso de la vida.

morirse   divorciarse   tener un hijo   nacer   jubilarse   casarse   enamorarse

1. Nacer
2. ....
3. ....
4. ....
5. ....
6. ....
7. Morirse

3 **a** **Completa** estas preguntas con la preposición adecuada: "a", "con", "en" o "entre". Pon también las mayúsculas necesarias.

1. ¿dónde conociste tu profesor(a) de español? ....
2. ¿qué año naciste? ....
3. ¿dónde fuiste de vacaciones el verano pasado? ....
4. ¿en qué año entraste el colegio? ....
5. ¿dónde viviste 1988 y 1991? ....
6. ¿quién vives ahora? ....

b **Ahora** escribe tus respuestas.

1. ....
2. ....
3. ....
4. ....
5. ....
6. ....

4 **Usa** la información del recuadro para escribir frases indicando por qué son famosos estos personajes.

1. Cervantes.
2. Jimmy Carter.
3. Cristóbal Colón.
4. Los hermanos Lumière.
5. Gabriel García Márquez.
6. Alexander Graham Bell.

- descubridor de América.
- inventor del teléfono.
- autor del *Quijote*.
- presidente de Estados Unidos.
- inventores del cine.
- ganador del premio Nobel de Literatura en 1982.

1. Cervantes escribió el "Quijote".
2. ....
3. ....
4. ....
5. ....
6. ....

5 **Lee** esta información sobre Luis Buñuel, famoso director de cine español, y escribe sobre su vida.

Luis Buñuel (Calanda, 1900 - México, 1983). Estudios de Filosofía y Letras en Madrid. Fundador y director del primer cineclub español. Colaboración de Salvador Dalí en sus dos primeras películas (*Un perro andaluz* y *La edad de oro*). Exilio en México. Muchas películas famosas, entre ellas *Los olvidados*, *Tristana* y *Viridiana*. Ganador de la Palma de Oro del Festival de Cannes en 1961.

....

....

....

....

....

....

....

....

....

6 **Escribe** sobre la vida de un familiar o un amigo tuyo.

....

....

....

....

....

7 **Escribe** las palabras correspondientes y luego lee el nombre y el apellido de la columna. Se trata de un político latinoamericano muy famoso.

1. Está en la cocina y sirve para conservar alimentos.
2. — Pues yo no estoy de acuerdo contigo. Creo que no .... razón.
3. — ¿Me .... ese libro un momento?
4. Es lo mismo que "irse a la cama".
5. — ¡............. cumpleaños!
6. La necesitas para tomar sopa, por ejemplo.
7. En un .... venden tabaco, sellos, etc.
8. El sustantivo es "satisfacción"; el adjetivo, ...
9. — ¿Por qué no te .... una aspirina?
10. — Perdona por llegar tarde, pero es que he tardado mucho en .... aparcamiento.
11. — ¿Sabes .... la guitarra?

1. ___ ___ ___ ___ ___ ___ ___ ___ | ___ ___ ___
2. ___ | ___ ___ ___ ___
3. ___ | ___ ___ ___ ___
4. ___ ___ ___ ___ ___ ___ ___ ___ ___ | ___ ___
5. ___ ___ ___ | ___ ___ ___ ___
6. ___ ___ ___ | ___ ___ ___ ___
7. ___ ___ ___ ___ | ___ ___ ___ ___ ___
8. ___ ___ ___ ___ ___ | ___ ___ ___ ___ ___
9. ___ | ___ ___ ___ ___
10. ___ ___ ___ ___ ___ | ___ ___ ___ ___
11. ___ | ___ ___ ___

8 **Escucha** y haz las preguntas correspondientes.

1. ¿Dónde / nacer?
   ¿Dónde nació?
2. ¿Dónde / estudiar?
3. ¿En qué año / nacer?
4. ¿Con quién / casarse?
5. ¿Cuántos hijos / tener?
6. ¿En qué año / morir?
7. ¿Por qué / ser / famosa?

9 **Piensa** en palabras o expresiones difíciles que has aprendido en el curso y escribe una frase con cada una de ellas.

- ....
- ....
- ....
- ....
- ....

10 a **¿Sabes** algo sobre Pablo Neruda? ¿Has leído algún libro suyo? Lee su biografía con la ayuda del diccionario.

PABLO NERUDA

El poeta chileno Pablo Neruda nació en Parral en 1904. Entre 1934 y 1937 fue cónsul en Madrid. La guerra civil española (1936-1939) le marcó profundamente e ingresó en el Partido Comunista Chileno. Elegido senador en 1945, tuvo que vivir clandestinamente durante más de un año por razones políticas y finalmente se exilió. Años más tarde regresó a Chile y en las elecciones presidenciales de 1970 apoyó al candidato de la izquierda, Salvador Allende, que las ganó. En 1971 fue nombrado embajador en Francia y recibió el premio Nobel de Literatura. Murió en 1973, trece días después de ser asesinado Salvador Allende en un golpe militar dirigido por el general Augusto Pinochet.

Su obra literaria refleja diferentes tendencias de la poesía del siglo XX. *Veinte poemas de amor y una canción desesperada* (1924) es el libro que le hizo famoso. En *Canto general* (1950), su poesía de orientación social recrea las tierras y las gentes de América.

b **¿Verdadero** o falso? Márcalo.

	V	F
1. La guerra civil española influyó en su forma de pensar.	☐	☐
2. Tuvo ideas políticas de derechas.	☐	☐
3. Tuvo que exiliarse por sus ideas políticas.	☐	☐
4. Murió antes del golpe militar de Pinochet.	☐	☐
5. A los veinte años se hizo muy famoso.	☐	☐

SOPA DE LETRAS ▮▮▮▮▮▯▯

1 **Busca** lo contrario de:

prohibir

perder

entrar

apagar

comenzar

poner

bajar

rechazar

abrir

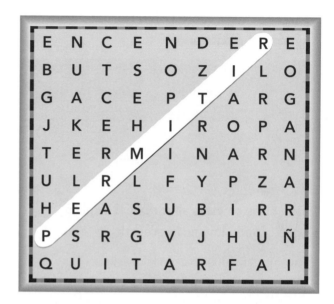

E	N	C	E	N	D	E	R	E
B	U	T	S	O	Z	I	L	O
G	A	C	E	P	T	A	R	G
J	K	E	H	I	R	O	P	A
T	E	R	M	I	N	A	R	N
U	L	R	L	F	Y	P	Z	A
H	E	A	S	U	B	I	R	R
P	S	R	G	V	J	H	U	Ñ
Q	U	I	T	A	R	F	A	I

2 **Completa** este cuadro.

INFINITIVO	IMPERATIVO (tú)	IMPERATIVO (usted)
entrar		
	come	
		abra
repetir		
	estudia	
		empiece
hacer		
	vuelve	
		espere
venir		

3 **Escribe** frases concediendo permiso en estilo informal (tú).

1. — Oye, Gloria, ¿puedo bajar un poco la música?
   • Sí, sí. Bájala. ....

2. — ¿Puedo cerrar la puerta? Es que tengo un poco de frío.
   • ....

3. — ¿Puedo poner este disco?
   • ....

4. — ¿Puedo hacer este crucigrama?
   • ....

5. — Oye, Félix, ¿puedo subir un poco la radio?
   • ....

6. — ¿Puedo coger el periódico? Es que quiero mirar una cosa.
   • ....

7. — ¿Puedo hacer una llamada? Es solo un momento.
   • ....

8. — Perdona, ¿puedo coger esta silla?
   • ....

4 **Cambia** a estilo formal (usted) las respuestas que has escrito en el ejercicio 3.

1. Sí, sí. Bájela.
2. ....
3. ....
4. ....
5. ....
6. ....
7. ....
8. ....

5 **¿Qué** dices en estas situaciones? Explica por qué cuando lo creas necesario.

1. Quieres mirar una cosa en la revista de tu compañero.
   ¿Me dejas la revista un momento? Es que quiero mirar una cosa.

2. Te vas a ir de casa de un amigo. Está lloviendo y no has llevado el paraguas.
   ....
   ....

3. Estás en la clase al lado de la ventana y no oyes casi nada con el ruido de la calle.
   ....
   ....

4. Estás en la calle y vas a fumar, pero no tienes fuego.
   ....
   ....

5. Vas a apuntar el teléfono de una persona que has conocido, pero no tienes papel.
   ....
   ....

6. Estás haciendo la cena y te das cuenta de que no te queda sal. Se la pides a la vecina.
   ....
   ....

7. Estás en casa de un amigo y tienes mucha sed.
   ....
   ....

6 **Completa** estos diálogos.

1. — ....
   • Es que la necesito yo. Lo siento.
2. — ....
   • Sí, un momento.
3. — ....
   • Es que está ocupada.
4. — ....
   • Sí, tome.
5. — ....
   • Sí, claro. Cógelo, cógelo.
6. — ....
   • No, no fumo. Lo siento.
7. — ....
   • Perdona, pero es que no sé dónde está.

7 **Piensa** en tres cosas que se pueden hacer y en otras tres que no se pueden hacer en un hospital. Escríbelo.

Se puede	No se puede
1.	1. ....
2.	2. ....
3.	3. ....

8 **Escucha** y haz las preguntas correspondientes para pedir cosas.

1. Un caramelo.
   ¿Me das un caramelo?
2. El lápiz.
3. El rotulador.
4. Un cigarro.
5. Tu reloj.
6. Una hoja.
7. Esa revista.

9 **Piensa** en algunas palabras o frases que conoces, pero que no usas casi nunca. Escríbelas y explica por qué las utilizas tan poco.

• ....
• ....
• ....
• ....

Descubre España y América Latina

10 **a** **Asegúrate** de que entiendes estas opiniones de diferentes personas. ¿Estás de acuerdo con alguna de ellas?

Prohibiciones y cosas curiosas que se pueden hacer

"En casi todos los bares españoles se pueden tirar cosas al suelo, pero a mí no me gusta hacer eso porque luego el suelo está sucio."

"En España hay muchos restaurantes que cierran muy tarde, y por eso se puede comer y cenar fuera hasta muy tarde."

"Yo he visto en muchos parques españoles carteles que prohíben pisar el césped. A mí eso me parece muy extraño porque el césped de un parque es un lugar ideal para sentarse, tumbarse, descansar, etc. Yo lo hago mucho en mi país."

"En todos los países del mundo hay un límite de velocidad para los coches: no se puede ir a más de unos 120 ó 130 km/h. Sin embargo, hay muchos coches que pueden correr a mucha más velocidad, incluso a más de 200 km/h. Sinceramente, a mí eso no me parece lógico."

b **¿Te parecen** curiosas otras prohibiciones y cosas que se pueden hacer en tu país o en otros países? Escríbelas.

- ....
- ....
- ....
- ....
- ....

ÁRBOL DE LETRAS ||||||||

1 **Forma** y escribe seis palabras relacionadas con viajes y otras seis relacionadas con el clima.

Viajes

1. ....
2. ....
3. ....
4. ....
5. ....
6. ....

Clima

1. ....
2. ....
3. ....
4. ....
5. ....
6. ....

2 **Lee** las frases y completa el diálogo.

— Buenos días. ¿Qué trenes hay para Sevilla?
- *Hay uno a las diez y cuarto, y otro a las doce y veinte.*

— ¿...?
- A las quince cuarenta.

— ¿...?
- A las diecisiete cuarenta y cinco.

— Pues deme un billete para el de las diez y cuarto.
- ¿...?

— No fumador.
- Son diecinueve euros con cuarenta y cinco céntimos.

— ¿...?
- De la vía nueve.

3 **Completa** las frases con la preposición adecuada: "a", "de", "con", "por", "para".

1. El Talgo de Granada acaba salir.
   El Talgo de Granada acaba de salir.
   ....

2. ¿A qué hora llega el las ocho y cinco?
   ....

3. ¿El Intercity de Valencia pasa Toledo?
   ....

4. ¿qué día lo quiere?
   ....

5. ¿qué vía llega el Talgo de Barcelona?
   ....

6. Deme dos billetes litera.
   ....

7. ¿A qué hora sale el autobús Valencia?
   ....

4 **Lee** este anuncio y responde a las preguntas.

1. ¿Sabes qué es RENFE? En caso negativo, averígualo.

2. ¿En qué estaciones del año puedes hacer los viajes organizados mencionados en el anuncio?

3. ¿Cuántos destinos ofrece RENFE para estos viajes?

4. ¿Qué incluye el precio del billete?

5. ¿Dónde puedes obtener información si quieres hacer uno de esos viajes?

5 **Ordena** y puntúa estas frases.

1. en hace que Madrid en tiempo verano
   ¿Qué tiempo hace en Madrid en verano?

2. mucho hace calor
   ....

3. invierno en y
   ....

4. pero frío mucho llueve no mucho hace
   ....

5. alguna nieva vez
   ....

6. casi no nunca nieva no
   ....

6 **Relaciona** los elementos de las dos columnas. En algún caso puede haber más de una posibilidad.

sol	pasear
templado	quedarse en casa
nieve	coger el paraguas
lluvia	ponerse un sombrero
frío	esquiar
buen tiempo	ir de acampada

7 **Empareja** las dos partes de cada frase.

1. Un barco es más grande
2. Cuando hace calor
3. En una agencia de viajes se puede
4. La gente usa los paraguas
5. Para ir a muchos países
6. El avión es más rápido
7. Para esquiar
8. Los aviones se cogen
9. Cuando hace frío
10. En un billete de avión
11. El tren sólo lo puedes coger

a) cuando llueve.
b) que un coche.
c) se necesita un pasaporte.
d) en los aeropuertos.
e) comprar billetes, reservar habitaciones de hotel...
f) que el tren.
g) la gente lleva poca ropa.
h) siempre viene el número de vuelo.
i) en las estaciones.
j) se necesitan esquís.
k) la gente lleva mucha ropa.

---

8 **Añade** "muy", "mucho", "mucha", "muchos" o "muchas" a cada una de las frases.

1. Dice que habla alemán bien.

   ....

   ....

2. Ya sabes que no le gustan las motos.

   ....

   ....

3. Pues yo voy a la playa fines de semana.

   ....

   ....

4. Tu pueblo está cerca de aquí, ¿verdad?

   ....

   ....

5. Esta mañana he estado en el mercado y he comprado cosas.

   ....

   ....

6. Oye, estos macarrones están buenos, ¿eh?

   ....

   ....

7. En tu pueblo llueve, ¿no?

   ....

   ....

8. Él dice que no, pero la verdad es que come galletas.

   ....

   ....

9. Yo, los viernes, me acuesto tarde.

   ....

   ....

10. En Moscú hay parques, ¿verdad?

   ....

   ....

11. Yo, el café, lo prefiero con azúcar.

   ....

   ....

12. Los sábados por la mañana hay gente comprando en el mercado.

   ....

   ....

---

9 **Escucha** y haz las preguntas correspondientes.

1. ¿Barcelona / 8.25?
   ¿A qué hora llega a Barcelona el tren de las ocho y veinticinco?
2. ¿Alicante / 12.10?
3. ¿Zaragoza / 16.45?

4. ¿Murcia / 7.20?
5. ¿Pamplona / 9.30?
6. ¿Bilbao / 22.50?

---

10 **Piensa** en tres palabras o expresiones útiles que no sabes cómo se dicen en español. Averígualo y escríbelo. Después escribe un ejemplo con cada una de ellas y enséñaselo al profesor.

- ....
- ....
- ....
- ....
- ....
- ....
- ....

Descubre España y América Latina

11 a **¿Te has** alojado alguna vez en un hotel español? ¿Te gustó?

....

....

b **Lee** el texto y escribe las respuestas.

Los hoteles en España

España tiene una red hotelera muy amplia y variada. Los diferentes hoteles están clasificados en cinco categorías, que se identifican con un número de estrellas que va de uno a cinco.

En todo el país podemos encontrar muchos hostales, establecimientos de naturaleza similar a los hoteles, pero más modestos: tienen entre una y tres estrellas. También hay muchas pensiones, que son casas de huéspedes más baratas que los hoteles. Tienen una gran tradición y suelen ser acogedoras y cómodas. Muchas de ellas están dirigidas por la familia propietaria de la casa, y generalmente su precio incluye el alojamiento y las comidas. Las pensiones resultan un tipo de alojamiento ideal para los visitantes que desean conocer España en profundidad y se alejan de las rutas turísticas más frecuentadas.

Los paradores nacionales de turismo son establecimientos hoteleros que dependen de organismos oficiales y constituyen la modalidad más original de la oferta turística española. Ofrecen los servicios y comodidades de los más modernos hoteles, pero ocupan, en la mayoría de los casos, antiguos edificios monumentales de valor histórico y artístico, como castillos, palacios, monasterios y conventos. Situados casi siempre en lugares de gran belleza e interés, los paradores tienen habitualmente categoría de tres o cuatro estrellas y están por toda la geografía española.

Secretaría General de Turismo

1. Anota los nombres de los tres establecimientos hoteleros típicos de España.

....

2. ¿Cuántas estrellas puede tener un hostal?

....

3. ¿Qué es lo que te parece más interesante de una pensión?

....

4. ¿Qué establecimientos le recomiendas a una persona que quiere descubrir la forma de vida de los españoles?

....

5. ¿Qué es lo que resulta más atractivo de un parador?

....

c **Y tú,** cuando viajas, ¿dónde te alojas? ¿Qué tipo de alojamiento prefieres? ¿Por qué? Explícalo.

....

....

1

a **Añade** las consonantes necesarias para formar nombres de actividades relacionadas con el tiempo libre.

1. S i e S t a
2. __ a __ __ i __ o
3. __ a __ e o
4. l __ __ e __ __ e __

5. i __ a u __ u __ a __ ió __
6. __ o __ __ e __ e __ __ i a
7. __ e __ í __ u __ a
8. e __ __ u __ __ ió __

b **Escribe** un verbo que se puede utilizar para hablar de cada una de ellas.

1. siesta - *dormir.*
2. ....
3. ....
4. ....
5. ....
6. ....
7. ....
8. ....

2

Utilizamos estas palabras para valorar actividades. Agrúpalas según el sentido que tienen.

| • excelente • un rollo • genial • precioso |
| • horroroso • estupendo • horrible |

Positivo	Negativo
Excelente	....
....	....
....	....
....	....
....	....

3

Completa el cuadro con las palabras que faltan.

Adjetivo	Forma superlativa
....	carísima
guapos	....
....	larguísima
cortas	....
....	contentísimo
cansada	....
....	rapidísimos
divertidas	....
....	facilísimo
difícil	....

SOPA DE LETRAS

4

a **Busca** diez formas verbales irregulares en pretérito indefinido.

```
C P U D I M O S P R
H I C I C T E I U E
Q L P J C A X G S P
L U I I N K V U I I
E R D M U Ñ Z I S T
Y H I O H O Y O T I
O P E S U D F B E E
D U R M I E R O N R
E S O P U L C N T O
V I N I S T E I S N
```

b **Escribe** el infinitivo de los verbos anteriores y agrúpalos según la irregularidad que tienen en pretérito indefinido.

e-> i (en la 3.ª persona)	o-> u (en la 3.ª persona)	y (en la 3.ª persona)	otras irregularidades

c **Escribe** alguna frase con las formas verbales de la actividad 4a que te parezcan más difíciles.

....
....
....
....
....
....

5 | **Busca** el error que hay en las frases y escríbelas correctamente.

1. Anoche invité a Mercedes y Paco a cenar y me rié mucho con ellos; son graciosísimos.

....

2. El otro día vi la última película de Fernando León y me gusté mucho; es muy original.

....

3. Pues a mí la conferencia de ayer me parecí aburridísima y demasiado larga.

....

4. La clase de hoy ha estado muy buena; a mí me ha parecido muy interesante.

....

5. El sábado estuve en un concierto buenísimo y me pasé muy bien.

....

6. Me encantó las cosas que me dijiste ayer por teléfono.

....

6 | **Completa** estos diálogos con las formas verbales adecuadas.

1. — El viernes fuiste al concierto de Antonio Serrano, ¿verdad?
   • Sí.
   — ¿Y qué tal .... (estar)?
   • ¡Ah! Muy bien. A mí me .... (encantar); es un músico buenísimo.

2. — ¿Qué hiciste el sábado por la noche? ¿Saliste?
   • Sí, ... (quedar, yo) con unas amigas y fuimos a bailar. Nos lo .... (pasar) muy bien y nos .... (reír) muchísimo.
   — ¡Qué bien! Yo estuve cenando con unos amigos y me .... (aburrir) un poco.
   • ¡Vaya!

3. — ¿Qué tal la obra de teatro que visteis anoche? ¿Os .... (gustar)?
   • Sí, estuvo bastante bien.
   — A mí me .... (parecer) muy interesante.

4. — Oye, ¿qué tal el partido de ayer?
   • Horrible. .... (ser) un partido malísimo; .... (jugar) horrorosamente los dos equipos.
   — ¡Vaya! ¡Qué mala suerte!

7 | **Explícale** a un amigo qué cosas hiciste el pasado fin de semana y valóralas.

8 | **Escucha** y haz las frases correspondientes.

1. Anoche / estar en un concierto buenísimo / divertirme mucho.
   Anoche estuve en un concierto buenísimo y me divertí mucho.
2. El domingo / ver una película muy original / gustarme mucho.
3. El viernes / ir a una fiesta divertidísima / pasármelo muy bien.
4. El otro día / estar en una conferencia bastante mala / aburrirme mucho.
5. El sábado / ver una exposición buenísima / encantarme.
6. Ayer / ver una obra de teatro muy extraña / parecerme bastante mala.

9 | **¿Qué** verbos irregulares en pretérito indefinido te parecen más difíciles? Escríbelos y conjúgalos.

....
....
....
....
....

Descubre España y América Latina

10 **a** **¿Verdadero** o falso? Lee y señálalo.

LA LECTURA DE LIBROS EN ESPAÑA

Según una encuesta realizada para la Federación de Gremios de Editores de España en el año 2001, el 58 % de los españoles mayores de 16 años es lector habitual de libros. Las novelas (83 %), y los volúmenes de historia y las biografías (28 %) son sus libros preferidos.

De acuerdo con la encuesta, el porcentaje de mujeres lectoras (59 %) supera en 3 puntos al de hombres. Por edades, las personas que más leen son las que tienen entre 16 y 24 años (71 %); las que menos, las

mayores de 55 años (42 %). La comunidad autónoma que tiene un porcentaje de lectores más alto es Madrid (69 %). Con respecto a la ocupación, los que más leen son los parados (79 %) y los estudiantes (76 %).

El País

	V	F
1. El 42 % de los españoles no lee libros habitualmente.	☐	☐
2. Los españoles leen mucha poesía.	☐	☐
3. Los hombres leen más que las mujeres.	☐	☐
4. Los jóvenes leen más que los mayores.	☐	☐
5. Los parados españoles leen menos que las personas que trabajan.	☐	☐

b **Piensa** en estas cuestiones y escribe sobre ellas.

- ¿Crees que en tu país se lee más que en España? ¿Qué tipo de libros?

....
....
....
....

- Y tú, ¿lees mucho? ¿Cuántas horas crees que lees durante la semana? ¿Y durante el fin de semana?

....
....
....
....

1

a **¿Cuáles** de estas palabras están relacionadas con la infancia? Escríbelas en el recuadro.

cultivar
premio
asignatura
maíz
castigar
tejado
aprobar
piedra
juguete
llama (animal)
travieso

b **Añade,** en el recuadro, otras que sirvan para hablar de la infancia.

2

Completa el cuadro. Usa las formas verbales propuestas en cada caso.

PRESENTE	PRETÉRITO IMPERFECTO
hago	hacía
juegas	
es	
salen	
estudia	
bebemos	
vais	
castigan	
puedes	
veo	
viene	
damos	

3

¿Te acuerdas de lo que has leído sobre los incas en la actividad 2 del libro del alumno? Escribe sobre estos aspectos.

• Ocupación   Los incas... ....

....

• Alimentación ....

....

• Vivienda ....

....

• Infancia ....

....

4

a **Lee** este texto incompleto y averigua el significado de las palabras nuevas.

A los 13 años, Manolo Monteagudo era un muchacho alto y moreno que llevaba el pelo largo. .... con su familia en un humilde piso de Argüelles, un barrio de Madrid. Su padre .... en una imprenta y su madre .... ama de casa. Manolo .... a un colegio de su barrio; no le gustaba mucho estudiar y sacaba muy malas notas. Era bastante travieso y sus padres le .... con frecuencia.
Pero por aquella época ya .... mucho interés por la música: en sus ratos libres .... la guitarra, ... los discos de su hermano mayor e .... con él a todos los conciertos que podía. Por la tarde se .... con tres amigos en el garaje de su casa y, con tres guitarras y una batería, interpretaban las canciones de sus grupos preferidos.

b **Complétalo** con las formas apropiadas de estos verbos en pretérito imperfecto (hay uno que se repite).

• trabajar • ser • vivir • escuchar
• reunir • tener • castigar • ir • tocar

5 Y tú, ¿recuerdas cómo eras a los 13 años?
Piensa también en qué hacías,
en qué aficiones tenías, etc., y escríbelo.

....
....
....
....
....
....
....
....
....
....
....

b **Piensa** también en cómo era la vida en
aquella época en tu ciudad y escríbelo.

Familia ....
....
....

Trabajo ....
....

Vivienda ....
....

Educación ....
....

Tiempo libre ....
....
....

6 **a** **Observa** esta imagen de la Puerta del
Sol de Madrid, hacia el año 1900.

¿Qué te dice sobre la vida en aquella
época? Escribe sobre:

• la ropa de los hombres y las mujeres ....
....
....

• el transporte ....
....
....

• el tráfico ....
....

7 **Escucha** y haz las preguntas
correspondientes.

1. ¿Cómo ser / cuando tener doce años?
   ¿Cómo eras cuando tenías doce años?
   ....

2. ¿Qué asignatura / gustarte más?
   ....

3. ¿Cuál ser / tu profesor preferido?
   ....

4. ¿Castigarte mucho / tus padres?
   ....

5. ¿Qué tipo de música / gustarte más?
   ....

6. ¿Cuál ser / tu juguete preferido?
   ....

7. ¿Ver mucho / la televisión?
   ....

8. ¿Cuáles ser / tus programas favoritos?
   ....

9. ¿Qué deporte / practicar más?
   ....

8 **¿Qué** actividad del libro del alumno te ha
gustado más? Explica por qué.

....
....
....

Descubre España y América Latina

9 **a** **Lee** este texto y ponle el título.

....

Los aztecas vivieron en el país que hoy conocemos como México. Su imperio perduró 200 años (de 1320 d. C. a 1520 d. C.). La mayoría de los niños iba a la escuela pública, llamada *telpochcalli*, que era gratuita. Allí aprendían historia, religión, música y danza. Los hijos de los nobles asistían a otra escuela, el *calmecac*, donde les enseñaban matemáticas, astrología, derecho, medicina y escritura, además de otras destrezas necesarias para su categoría social. En general, la educación de los niños aztecas era muy estricta y también se preparaba a los chicos para ser guerreros.

Los aztecas. SM Saber

b **Escribe** las informaciones que te parezcan más interesantes.

LA COLUMNA ▐▐▐▐▐▐▐

1 a Escribe el nombre de cada cosa. Luego lee la palabra de la columna. Es el nombre de un objeto estudiado en esta lección.

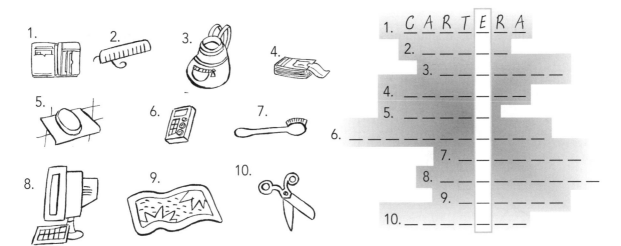

1. 2. 3. 4.

5. 6. 7.

8. 9. 10.

1. C A R T E R A
2. _ _ _ _ _ _
3. _ _ _ _ _ _
4. _ _ _ _ _ _
5. _ _ _ _ _ _
6. _ _ _ _ _ _ _
7. _ _ _ _ _ _
8. _ _ _ _ _ _ _
9. _ _ _ _ _
10. _ _ _ _ _

b ¿Cuáles de ellas relacionas con el aseo personal? Escríbelas en el recuadro.
¿Puedes añadir otras?

2 Lee la respuesta y haz la pregunta correspondiente.

1. ¿De qué es?
   De plástico.
2. ....
   Marrón oscuro.
3. ....
   Mío.
4. ....
   Estrecho y largo.
5. ....
   En mi bolso.
6. ....
   Para peinarse.

¿Has adivinado cuál es el objeto descrito?

3 a Lee estas informaciones. ¿Qué es?

1. Puede ser de diferentes colores.
2. Es muy suave.
3. Tiene forma rectangular.
4. Es de algodón.
5. Está en el baño, pero también podemos ver otras en la playa o en la piscina.
6. Sirve para secarse las manos, la cara...

b ¿Cuántas informaciones has necesitado leer para adivinar la cosa descrita?

c Piensa en otra cosa y descríbela. Escribe primero las informaciones generales y luego las más específicas.

- ....
- ....
- ....
- ....
- ....
- ....

d Pásaselas a un compañero para que adivine de qué se trata.

4 **a** **Lee** lo que dice esta persona. ¿De qué objeto habla? Escríbelo.

"Mi abuela me regaló hace unos años unas .... que me encantan. Las compró en Chile y son preciosas: son de pasta marrón, y tienen los cristales rectangulares y bastante pequeños. Las uso mucho cuando hace sol."

b **Piensa** en un objeto tuyo que te gusta mucho o te es muy útil. Explica cómo y cuándo llegó a tus manos, y descríbelo.

....
....
....
....
....

5 **a** **Lee** este chiste y busca sinónimos de:

tonto

considerar

CUANDO ME HACEN UN REGALO ESTUPIDO, ¿QUE DEBO CREER: QUE ME TOMAN POR ESTUPIDO O QUE EL ESTUPIDO ES EL QUE ME HACE EL REGALO?

163

b **Y tú,** ¿qué piensas cuando te hacen un regalo que no te gusta?

....
....
....
....

6 **Completa** con pronombres.

1. — ¡Qué camisa tan bonita llevas!
   - ¿................ gusta? Pues es un regalo.
   — ¿Ah, sí? ¿Y quién te .... ha regalado?
   - Elvira, una amiga que siempre .... regala cosas que me gustan mucho.

2. — Las navidades pasadas hice varios regalos, pero los más curiosos fueron un pato y un gato de cerámica.
   - ¿Y a quién .... los regalaste?
   — Pues el pato se .... regalé a mi madre, y el gato .... lo regalé a una amiga.

7 **a** **Piensa** en dos regalos que has hecho alguna vez y escribe sus nombres.

(Un sombrero)

1. ....
2. ....

b **Explica** a quién hiciste cada uno de esos regalos y cuándo.

(El sombrero se lo regalé a ...)

1. ....
....
2. ....
....

8 **Escucha** y contesta a las preguntas.

1. ¿Quién le regaló la calculadora a Isabel?
   Se la regaló Eva. .... (Eva)
2. ¿Quién le regaló los guantes a Raúl?
   .... (Fernando)
3. ¿Quién le regaló la agenda a Cristina?
   .... (Su tía)
4. ¿Quién les regaló este cuadro a tus padres?
   .... (Mi abuelo)
5. ¿Quién le regaló las botas a Gloria?
   .... (Marta)
6. ¿Quién les regaló estas cosas a tus hermanas?
   .... (Mi madre)
7. ¿Quién le regaló la cartera a Quique?
   .... (Su novia)
8. ¿Quién le regaló estos pantalones a Ana?
   .... (Luisa)

Descubre España y América Latina

10 **a** **Lee** este texto y escribe los nombres pedidos.

EL CEPILLO DE DIENTES

Es un objeto fundamental para la higiene de los dientes y tiene un uso relativamente reciente. Aunque apareció representado por primera vez en una pintura china del siglo XV, no se introdujo en Europa hasta el siglo XVII. Los primeros cepillos eran privilegio de las clases altas, y tenían un mango de madera y cerdas naturales. Su elaboración era artesanal. En 1920 comenzó su producción en masa, lo que permitió popularizar la higiene dental. Los materiales naturales fueron sustituidos por otros de plástico y los cepillos empezaron a ser mucho más económicos. La fabricación del primer dentífrico también tuvo lugar en 1920.

Inventos del milenio. El País. Aguilar

b **¿Por qué** se mencionan en el artículo estas fechas? Escríbelo.

- Siglo XV ....
- Siglo XVII ....
- 1920 ....

VOCABULARIO

1 a **Añade** las vocales necesarias para formar palabras que has estudiado en la lección 15 del libro del alumno.

1. c o n t a m i n a c i ó n
2. c _ r _ r
3. p _ t r _ l _ _
4. _ s p _ j _
5. c _ n c _ r
6. b _ d _
7. _ m _ g r _ r
8. s _ ñ _ r
9. _ _ m _ n t _ r
10. _ s p _ c _ _
11. s _ p _ r s t _ c _ _ _ s _

b **¿Qué** palabras de las anteriores relacionas con supersticiones tratadas en la lección 15?

....

....

SOPA DE LETRAS

2 a **Busca** doce formas de futuro simple.

A	X	V	B	I	G	U	P	E	D	M
Q	U	E	R	R	E	M	O	S	I	O
I	J	N	O	A	L	I	D	F	R	T
F	U	D	P	S	T	J	R	Ñ	A	E
H	A	R	A	N	C	D	A	Z	N	N
U	K	E	C	H	U	P	N	I	V	D
O	Y	Ñ	D	A	R	E	B	J	U	R
S	A	B	R	A	S	V	G	B	Q	E
E	S	U	F	M	D	O	N	Y	L	I
R	C	A	P	O	N	D	R	E	I	S
A	T	V	E	R	E	M	O	S	G	B

b **Escribe** el infinitivo de esos verbos en la columna correspondiente.

Regulares en futuro	Irregulares en futuro

3 a **Lee** este cómic de Quino. ¿Qué puede significar "¡Cómo pasa el tiempo!"?

HMMMM...

¡VIVIRÁS MUCHOS, MUCHOS AÑOS!

¡DIOS MÍO, CÓMO PASA EL TIEMPO!

QUINO

b **Escribe** tres cosas positivas y tres negativas que puede predecir la gitana.

Positivas

....

....

....

Negativas

....

....

....

4 **¿Cómo** crees que será el mundo del futuro? Utiliza las pautas para escribir frases afirmativas o negativas sobre él.

1. ¿Vivir (nosotros) / mejor?
   (Viviremos mejor) ....

2. ¿Haber / trabajo para todos?
   ....

3. ¿Tener (nosotros) / más tiempo libre?
   ....

4. ¿Relacionarnos (nosotros) más / con la gente?
   ....

5. ¿Tener (nosotros) / una alimentación diferente?
   ....

6. ¿Cambiar / el clima?
   ....

7. ¿Encontrar (nosotros) vida / en otros planetas?
   ....

8. ¿Poder (nosotros) hacer turismo / en otros planetas?
   ....

9. ¿Haber más pobres / en el mundo?
   ....

5 **a** **¿Te identificas** con alguna de estas predicciones para los próximos cinco años?

1. Probablemente cambiaré de profesión.
2. Creo que viviré en la misma casa que ahora.
3. Me imagino que haré nuevos amigos.
4. Probablemente tendré algún hijo.
5. Estoy seguro/a de que saldré menos que ahora.
6. Posiblemente pasaré alguna temporada en algún país de habla hispana.
7. Estoy seguro/a de que habrá más coches y más problemas de tráfico en mi ciudad.

b **Ahora** escribe tus predicciones para los próximos cinco años sobre:

- Tu profesión ....
  ....

- Tu casa ....
  ....

- Tus amigos ....
  ....

- Tu familia ....
  ....

- Tu tiempo libre ....
  ....

- Tu español ....
  ....

- Tu ciudad ....
  ....

6 **¿Cómo** crees que serán la vida y el mundo en el año 2025? Escribe un texto con tus predicciones.

LA VIDA EN EL AÑO 2025

....
....
....
....
....
....
....
....

7 **a** **Relaciona** cada condición con la consecuencia más apropiada.

1. Si trabajamos menos horas al día, ...
2. Si aumenta la población de la Tierra, ...
3. Si descubrimos un remedio para el cáncer, ...
4. Si aumenta la contaminación, ...
5. Si se agota el petróleo, ...

A. ... utilizaremos otras fuentes de energía.
B. ... morirá menos gente a causa de esa enfermedad.
C. ... tendremos más tiempo libre.
D. ... desaparecerán muchas especies animales.
E. ... morirá más gente de hambre.

b **Piensa** en el futuro y añade una consecuencia a cada condición.

1. Si tomamos más alimentos industriales, ...
2. Si nos relacionamos más con la gente, ...
3. Si se produce un cambio climático, ...

c **Ahora escribe** tú otras condiciones y sus consecuencias en el futuro.

8 **Escucha** y haz frases sobre el futuro.

1. Cambiar de casa (no sé) *No sé si cambiaré de casa* ....
2. Casarse (me imagino) ....
3. Tener más amigos (probablemente) ....
4. Cambiar bastante físicamente (posiblemente) ....
5. Tener menos vacaciones (me imagino) ....
6. Hacer más cursos de español (estoy seguro) ....
7. Haber bastantes cambios en mi vida (probablemente) ....

9 **¿Qué es** lo que te ha resultado más difícil de todo el curso? Asegúrate de que puedes utilizar las palabras y estructuras correctamente (puedes consultar tus dudas en el libro del alumno o preguntando al profesor). Luego, escribe frases con esas palabras o estructuras difíciles.

- ....
- ....
- ....
- ....
- ....

Descubre España y América Latina

10 **a** **Lee** este cuento incompleto del escritor español Julio Llamazares. ¿Qué palabra o expresión puede significar *(en) el futuro*?

El día de mañana

Como muchos de su tiempo, mis padres se pasaron la vida pensando en el día de mañana. "Hay que ahorrar para el día de mañana", "tú piensa en el día de mañana", me .... Pero el día de mañana no llegaba. .... los días y los años, y el día de mañana no llegaba.

De hecho, mis padres ya .... muertos y el día de mañana aún no ....

JULIO LLAMAZARES

b **Complétalo** con estas palabras.

ha llegado pasaban están decían

c **Escribe** las respuestas a estas preguntas.

1. ¿Por qué crees que decían eso sus padres? ¿Qué te sugiere el cuento sobre la España en que se criaron sus padres?

....
....
....
....
....

2. ¿Piensas tú mucho en el día de mañana? ¿Por qué?

....
....
....
....
....

soluciones

1 POSIBLES RESPUESTAS:

Profesiones: camarero, taxista, maestro(a), médico(a), dentista, músico. **Medios de transporte:** avión, tren, metro, tranvía, moto.

3

Nombre	Profesión	Lugar de trabajo	Medio de transporte
Begoña	peluquera	peluquería	metro
Elena	maestra	escuela	autobús
Lola	azafata	avión	coche

4 POSIBLES RESPUESTAS:

1. Va a clase de inglés dos días a la semana (o por semana).
2. Visita a su familia todos los sábados (o cada sábado).
3. Hace gimnasia dos veces al día.
4. Hace los deberes cinco días a la semana (o por semana).
5. Cambia de trabajo cada dos años.
6. Va al cine dos días a la semana (o por semana).
7. Coge vacaciones una vez al año.

5

1. Juana es maestra.
2. Ángela es dependienta.
3. Nuria es escritora.

7

1. ¿Cómo vienes a la universidad?
2. En coche, con unos amigos.
3. ¿Qué es lo que más te gusta de la clase?
4. Que hacemos muchas cosas diferentes.
5. ¿Y lo que menos?
6. Escuchar cintas.

1

1. Llamada; 2. Regreso; 3. Continuación; 4. Visita; 5. Llegada; 6. Viaje; 7. Ida; 8. Salida; 9. Vuelta; 10. Comienzo.
Solución: Montevideo.

2

1. A las nueve va a tener una entrevista de trabajo.
2. A las 12 va a ir a la conferencia de García Calvo.
3. A las 14:30 va a comer con Gustavo.
4. A las 16:30 va a jugar al tenis.
5. A las 18:30 va a llamar a la agencia de viajes.
6. A las 18:45 va a ir de compras.
7. A las 22:00 va a ir al cine.

3

1. ¿Qué vas a hacer este fin de semana?
2. Ayer llegué tarde a clase.
3. Estoy cansadísimo. Me parece que esta noche no voy a salir.
4. ¿Sabes con quién estuve ayer? ¡Con Alberto!
5. La semana que viene no voy a trabajar.
6. ¿Tú te acuestas muy tarde?
7. Ayer fui a trabajar en taxi; es que me desperté tardísimo.

4

- Tengo que llamar al dentista para pedir hora.
- Tengo que ver a Felipe para decirle unas cosas.
- Tengo que hablar contigo para preguntarte una cosa.
- Tengo que llamar al restaurante para reservar mesa.
- Tengo que hablar con ellos para comentarles este asunto.
- Tengo que llamar a la agencia de viajes para anular el billete.

5

- Para ser un buen ciclista, hay que entrenarse mucho.
- Si quieres estar en forma, tienes que hacer deporte.
- Para ser presidente del Gobierno, hay que ganar las elecciones generales.
- Si quieres estudiar en la universidad, tienes que aprobar el examen de ingreso.

- Para ser un buen relaciones públicas, hay que ser muy extrovertido.
- Para poder bañarse, hay que ir a la playa o a la piscina.
- Si quieres estar muy moreno, tienes que tomar mucho el sol.

6

1. Ayer recogió el visado.
2. Hoy va a cambiar dinero.
3. Hoy va a comprar carretes de fotos.
4. Ayer recogió el billete.
5. Hoy va a hacer las maletas.
6. Ayer compró una guía turística.
7. Hoy va a llamar a un taxi para mañana.

9

1. ¿Vas a salir esta noche?
2. Sí, voy a ir al cine.
3. ¿Y qué película vas a ver?
4. *El día más largo.*
5. ¡Ah! Es muy buena.

DESCUBRE ESPAÑA Y AMÉRICA LATINA

11 b

A- Navegación por el río Aguarico.
B- Visita a un mercado indígena.
C- Paseo por la selva hasta Sacha Urcu.

11 c POSIBLE TEXTO:

- El primer día van a ir en avión de Quito a Lago Agrio por la mañana. Por la tarde van a navegar por el río Aguarico. Luego van a cenar en un lugar tropical, junto al río.
- El segundo día van a pasear por la selva hasta Sacha Urcu. Van a almorzar en el campamento Pacuya y por la tarde van a visitar un mercado indígena.
- El tercer día, por la mañana van a visitar la comunidad indígena de los cofanes. Luego van a almorzar en la comunidad y por la tarde van a regresar a Quito.

1

Horizontales: 1. Lechuga; 2. Leche; 3. Tomates; 4. Pan; 5. Naranjas; 6. Arroz.
Verticales: 1. Helado; 2. Jamón; 3. Huevos; 4. Manzanas; 5. Sal; 6. Queso.

2 a

- Una lechuga, un helado.
- Un litro de leche.
- Un kilo de tomates, un kilo de naranjas, un kilo de manzanas, (un kilo de jamón), (un kilo de queso).
- Un paquete de arroz, un paquete de sal.
- Un trozo de jamón, un trozo de queso.
- Una docena de huevos.
- Una barra de pan.

3

sardinas: 2; plátanos: 5; chuletas: 1; pollo: 4; merluza: 2; queso: 6; naranjas: 5; chorizo: 6; huevos: 4; pan: 3; jamón: 6.

4

PLA**T**O   CUCHILL**O**   VA**S**O   **TAZA**
TENE**D**OR   CUCH**A**RA   **S**ERVILLETA
Una cosa que desayuna mucha gente: **TOSTADAS**

5

Primero:
- Arroz a la cubana.
- Ensalada.
- Macarrones con tomate.
- Jamón con melón.
- Sopa.

Segundo:
- Chuletas de cordero.
- Huevos con chorizo.
- Sardinas a la plancha.
- Merluza a la vasca.
- Pollo frito con patatas.

Postre:
- Naranja.
- Yogur.
- Tarta de queso.
- Plátano.

6

Carne: pollo, jamón, chuletas de cordero.
Pescado: sardinas, trucha, merluza.
Fruta: naranjas, plátanos, manzanas.
Verdura: lechuga, tomates, cebollas.
Bebidas: vino, cerveza, agua.

7

— ¿Qué va a tomar?
- ¿Cómo es el arroz a la cubana?
— Pues lleva arroz, tomate, un huevo y un plátano fritos.
- Entonces, arroz a la cubana y, de segundo..., merluza a la romana con ensalada.
— ¿Y para beber?
- Agua, agua mineral con gas.
— ¿Qué va a tomar de postre?
- Tarta de queso.

8

Orden: B, D, A, E, G, F, C.

9 a

Horizontales: duerme; repito; prefieres; viene; puedes; pido.
Verticales: quieren; vuelve; sigues; dice.

b

Irregularidad **e → i:** repetir, pedir, seguir, decir.
Irregularidad **e → ie:** preferir, venir, querer.
Irregularidad **o → ue:** dormir, poder, volver.

DESCUBRE ESPAÑA Y AMÉRICA LATINA

12 c

1. Falsa: hay 3.775 restaurantes; 2. Verdadera; 3. Verdadera; 4. Verdadera; 5. Falsa: va un 16 % más de hombres que de mujeres.

1

1. Carteles; 2. Sobrina; 3. Agenda; 4. Ancho; 5. Obras; 6. Semana; 7. Abierto; 8. Oído.

2

1-segundo; 2-minuto; 3-hora; 4-día; 5-semana; 6-mes; 7-trimestre; 8-semestre; 9-año; 10-siglo.

3

Infinitivo: empezar; decir; leer; hacer; volver; esperar; poner; escribir; poder; ver; descubrir; pedir. **Presente (1.ª persona singular):** empiezo; digo; leo; hago; vuelvo; espero; pongo; escribo; puedo; veo; descubro; pido. **Participio:** empezado; dicho; leído; hecho; vuelto; esperado; puesto; escrito; podido; visto; descubierto; pedido.

4

1. Todos los días me levanto a las ocho, pero hoy me he levantado a las nueve.
2. Normalmente vengo en coche, pero hoy he venido en metro.
3. Todas las semanas escribo muchas cartas, pero esta solo he escrito una.
4. Siempre vuelvo pronto a casa, pero hoy he vuelto tarde.
5. Todos los días hago muchas cosas, pero hoy no he hecho nada.
6. Todos los días empiezo a trabajar a las nueve, pero hoy he empezado a las diez.
7. Todas las semanas veo varias películas, pero esta solo he visto una.

soluciones

5 | POSIBLES FRASES:

Ha oído el despertador. Se ha levantado. Ha puesto/escuchado la radio. Se ha duchado. Ha hablado por teléfono. Ha quedado (con alguien).

7

— Perdona por llegar tarde, pero es que no he oído el despertador.
• ¡Bah! Es igual.
— Lo siento, de verdad.
• No te preocupes, hombre, no tiene importancia.

DESCUBRE ESPAÑA Y AMÉRICA LATINA

10 a

horarios; bebida; impuntualidad; nervioso.

1

1-entrar; 2-lejos; 3-ver; 4-calendarios; 5-coche; 6-digo.

INTRUSO	CAUSA
Entrar.	Es un verbo, no una preposición.
Lejos.	No expresa frecuencia.
Ver.	Es infinitivo, no presente.
Calendarios.	No es un adjetivo.
Coche.	Es un sustantivo, pero no plural.
Digo.	Es presente, no participio.

2 | POSIBLES PREGUNTAS:

• ¿Has hablado alguna vez con un famoso?
• ¿Has ido alguna vez en barco?
• ¿Has ido alguna vez a Roma?
• ¿Has ido alguna vez a Estados Unidos?
• ¿Has jugado alguna vez al golf?
• ¿Has bebido alguna vez tequila?
• ¿Has tocado alguna vez un saxofón?
• ¿Has estado alguna vez en Roma?
• ¿Has estado alguna vez en Estados Unidos?
• ¿Has escrito alguna vez un poema?
• ¿Has visto alguna vez a un famoso?
• ¿Has visto alguna vez un ovni?

4 | POSIBLES RESPUESTAS:

1. a) Ya ha empezado la carrera de Medicina.
   b) Todavía no ha terminado sus estudios.
2. a) Ya ha cenado.
   b) Todavía no se ha acostado.
3. a) Ya ha ido a comer.
   b) Todavía no ha vuelto.
4. a) Ya ha salido de casa.
   b) Todavía no ha cogido el autobús.
5. a) Ya se ha acostado.
   b) Todavía no se ha dormido.

6

1. Yo estoy de acuerdo contigo.
2. Yo creo que Marisa tiene razón.
3. ¿Estás de acuerdo con Jesús?
4. Pues yo creo que no tienes razón.

DESCUBRE ESPAÑA Y AMÉRICA LATINA

9 a

1. Flauta andina; 2. Playa caribeña; 3. Queso manchego; 4. Monumento colonial; 5. Jamón ibérico.

1

Camisa, chaqueta, falda, camiseta, medias, vaqueros, pantalones, vestido, traje, cazadora, braga (o abrigo), calcetines.

2 | POSIBLES RESPUESTAS:

En el dibujo de la izquierda:
El señor lleva una chaqueta.
La señora lleva unos pantalones y una blusa.
La señora lleva unos zapatos.
El chico lleva una camisa.
La chica lleva un jersey.
El niño lleva unos pantalones largos.

En el dibujo de la derecha:
El señor lleva una cazadora.
La señora lleva un vestido.
La señora lleva unas botas.
El chico lleva una camiseta.
La chica no lleva jersey.
El niño lleva unos pantalones cortos.

6 | INTRUSOS:

1-oscuras; 2-queso; 3-sueño; 4-árbol; 5-campo.

INTRUSO	CAUSA
Oscuras.	Es adjetivo, pero plural.
Queso.	No es un color.
Sueño.	No es una prenda de vestir.
Árbol.	No es una cosa de la clase.
Campo.	No es un material.

7 POSIBLES PREGUNTAS:

¿De qué es?; ¿para quién es?; ¿de qué talla lo quiere? ¿cómo lo quiere?; ¿qué tal le queda?; ¿qué desea?

8

Horizontales: 1. Probarme; 2. Tela; 3. Que; 4. Blanco; 5. Falda; 6. Lo. **Verticales:** 1. Para; 2. Cara; 3. Corto; 4. Talla; 5. La; 6. Estrecho.

9

1. ¿De qué color las quiere?
2. ¿De qué talla la quiere?
3. ¿De qué número los quiere?
4. ¿De qué talla los quiere?
5. ¿De qué color lo quiere?
6. ¿De qué color los quiere?
7. ¿De qué número las quiere?
8. ¿De qué color las quiere?

1

1. Películas; 2. Diciendo; 3. Miércoles; 4. Cerveza; 5. Armario; 6. Nunca; 7. Estómago; 8. Felicidades; 9. Sentándose.
Solución: Cervantes.

2 POSIBLES RESPUESTAS:

1. Laura está hablando/bailando con un chico.
2. Julián está bailando.
3. Rita está comiendo canapés.
4. Ricardo está quitándose la chaqueta.
5. María está bebiendo vino.

4

— ¡Feliz cumpleaños, y que pases un buen día!
• Gracias, Eva.
— Mira, esto es para ti.
• Humm..., muchísimas gracias. A ver, a ver qué es...
¡Una pulsera! ¡Qué bonita!
— ¿Te gusta?
— Me encanta. Es preciosa...

5 a

FEBRERO, OCTUBRE, AGOSTO, NOVIEMBRE, ABRIL, JULIO, ENERO, DICIEMBRE, JUNIO, MAYO, SEPTIEMBRE, MARZO.

b

1-enero; 2-febrero; 3-marzo; 4-abril; 5-mayo; 6-junio; 7-julio; 8-agosto; 9-septiembre; 10-octubre; 11-noviembre; 12-diciembre.

7

1. Esa camisa es de algodón, ¿verdad?
2. Dice que está muy enfadada.
3. Tu hermana mayor es médica, ¿verdad?
4. Mira, esa de rojo es mi vecina.
5. Creo que Soria no está muy lejos de Madrid.
6. Tu cumpleaños es en abril, ¿verdad?
7. Ahora no puede ponerse, está duchándose.
8. ¿Sabes qué día es hoy?
9. ¡Qué buena está esta tortilla!
10. ¡Uff ...! ¡Es ya la una y media! / ¡Ya es la una y media!

9

1. Me quedan muy bien, ¿verdad?
2. Te quedan estupendamente.
3. ¿Qué día es tu cumpleaños?
4. El 10 de noviembre.
5. ¿Quieres un poco más de merluza?
6. No, de verdad, gracias. Es que no puedo más.

1 a

1. comieron; 2. viví; 3. hizo; 4. conociste; 5. compraron; 6. empezasteis; 7. estuvimos; 8. llegué; 9. escribió; 10. fuisteis; 11. salió; 12. estudiasteis.

2

Infinitivo: cenar; venir; hacer; ser; ir; entrar; regalar; hablar; beber; estar; ver; recibir; dejar; volver. **Presente:** ceno; venimos; hacen; eres; vas; entra; regalamos; habla; bebéis; están; ve; recibimos; dejáis; volvemos. **Pretérito indefinido:** cené; vinimos; hicieron; fuiste; fuiste; entró; regalamos; habló; bebisteis; estuvieron; vio; recibimos; dejasteis; volvimos

3 POSIBLE TEXTO:

Fue en tren. Salió de Soria a las 16.30 h. y llegó a Madrid a las 19.43 h. El viaje duró un poco más de tres horas y le costó ocho euros con noventa y tres céntimos. Posiblemente fumó durante el viaje.

4

1 – el año pasado; 2 – en junio; 3 – hace tres días / semanas /...; 4 – la semana pasada; 5 – en 1987; 6 – ayer por la tarde; 7 – el 10 de agosto; 8 – el jueves por la noche; 9 – en octubre de 1990; 10 – el domingo.

soluciones

6 a

1. ¿Qué tal el fin de semana? 2. ¿Dónde estuvisteis de vacaciones el año pasado? 3. ¿Te acostaste muy tarde ayer? 4. ¿A qué hora salisteis de Pamplona? 5. ¿Qué tal ayer en casa de Concha? 6. ¿Cuánto te costó el billete? 7. ¿Saliste el viernes por la noche?

b

A-2; B-4; C-1; D-3; E-6; F-7; G-5.

DESCUBRE ESPAÑA Y AMÉRICA LATINA

11 a   POSIBLES RESPUESTAS:

fueron-ser; viajaron-viajar; decidió-decidir; hizo-hacer; situó-situar; fue-ir; desplazó-desplazar; realizó-realizar; pudieron-poder; decidieron-decidir.

b

1. Falsa. Es sobre los viajes de los españoles en vacaciones. 2. Verdadera. 3. Falsa. El 53,4% de los españoles se fue de vacaciones. 4. Verdadera. 5. Verdadera. Se fue de vacaciones el 31,8% de los gallegos y el 71,8% de los vascos.

1

1-fuisteis; 2-salió; 3-olvidaron; 4-nací; 5-informaste; 6-explicamos; 7-saludé; 8-entendimos.

2   POSIBLE ORDEN:

1-nacer; 2-enamorarse; 3-casarse; 4-tener un hijo; 5-divorciarse; 6-jubilarse; 7-morirse.

3 a

1. ¿Dónde conociste a tu profesor(a) de español?
2. ¿En qué año naciste?
3. ¿Adónde fuiste de vacaciones el verano pasado?
4. ¿En qué año entraste en el colegio?
5. ¿Dónde viviste entre 1988 y 1991?
6. ¿Con quién vives ahora?

4

1. Cervantes escribió el *Quijote*. 2. Jimmy Carter fue presidente de Estados Unidos. 3. Cristóbal Colón descubrió América. 4. Los hermanos Lumière inventaron el cine. 5. Gabriel García Márquez ganó el premio Nobel de Literatura en 1982. 6. Alexander Graham Bell inventó el teléfono.

5   POSIBLES RESPUESTAS:

Luis Buñuel nació en Calanda en el año 1900 y murió en México en 1983. Estudió Filosofía y Letras en Madrid. Fundó y dirigió el primer cineclub español. El pintor Salvador Dalí colaboró en sus dos primeras películas (*Un perro andaluz* y *La edad de oro*). Se exilió en México y dirigió muchas películas famosas, entre ellas *Los olvidados*, *Tristana* y *Viridiana*. En el año 1961 ganó la Palma de Oro del Festival de Cannes.

7

1. FRIGORÍFICO; 2. TIENES; 3. DEJAS; 4. ACOSTARSE; 5. FELIZ; 6. CUCHARA; 7. ESTANCO; 8. SATISFECHO; 9. TOMAS; 10. ENCONTRAR; 11. TOCAR.

DESCUBRE ESPAÑA Y AMÉRICA LATINA

10 b

1. Verdadero; 2. Falso; 3. Verdadero; 4. Falso; 5. Verdadero.

1

Horizontales: encender; aceptar; terminar; subir; quitar.
Verticales: cerrar; ganar. **Diagonales:** permitir; salir.

2

Infinitivo: entrar: comer; abrir; repetir; estudiar; empezar; hacer; volver; esperar; venir. **Imperativo (tú):** entra; come; abre; repite; estudia; empieza; haz; vuelve; espera; ven. **Imperativo (usted):** entre; coma; abra; repita; estudie; empiece; haga; vuelva; espere; venga.

3

1. Sí, sí. Bájala.   2. Sí, sí. Ciérrala.
3. Sí, sí. Ponlo.   4. Sí, sí. Hazlo.
5. Sí, sí. Súbela.   6. Sí, sí. Cógelo.
7. Sí, sí. Llama/hazla. 8. Sí, sí. Cógela.

4

1. Sí, sí. Bájela.   2. Sí, sí. Ciérrela.
3. Sí, sí. Póngalo.   4. Sí, sí. Hágalo.
5. Sí, sí. Súbala.   6. Sí, sí. Cójalo.
7. Sí, sí. Llame/hágala. 8. Sí, sí. Cójala.

lección 11

1 POSIBLES RESPUESTAS:

VIAJES: billete; ida; vuelta; vuelo; reserva; estación.
CLIMA: sol; calor; viento; niebla; llueve / llover; nieva / nevar.

2 POSIBLES DIÁLOGOS:

— Buenos días. ¿Qué trenes hay para Sevilla?
• Hay uno a las diez y cuarto, y otro a las doce y veinte.
— ¿A qué hora llega el de las diez y cuarto?
• A las quince cuarenta.
— ¿Y el de las doce y veinte?
• A las diecisiete cuarenta y cinco.

— Pues deme un billete para el de las diez y cuarto.
• ¿Fumador o no fumador?
— No fumador.
• Son diecinueve euros con cuarenta y cinco céntimos.
— ¿De qué vía sale?
• De la vía nueve.

3

1. El Talgo de Granada acaba de salir.
2. ¿A qué hora llega el de las ocho y cinco?
3. ¿El Intercity de Valencia pasa por Toledo?
4. ¿Para qué día lo quiere?
5. ¿A qué vía llega el Talgo de Barcelona?
6. Deme dos billetes con litera.
7. ¿A qué hora sale el autobús de Valencia?

4

2. En las cuatro estaciones del año.
3. Más de treinta.
4. El viaje en tren, hotel en régimen elegido, excursiones y visitas.
5. En cualquier agencia de viajes. / En todas las agencias de viajes.

5 POSIBLES FRASES:

1. ¿Qué tiempo hace en Madrid en verano?
2. Hace mucho calor.
3. ¿Y en invierno?
4. Hace mucho frío, pero no llueve mucho.
5. ¿Nieva alguna vez?
6. No, no nieva casi nunca.

6 POSIBLES EMPAREJAMIENTOS:

sol - ponerse un sombrero; templado - pasear;
nieve - esquiar; lluvia - coger el paraguas;
frío - quedarse en casa; buen tiempo - ir de acampada.

7 POSIBLES EMPAREJAMIENTOS:

1-b; 2-g; 3-e; 4-a; 5-c; 6-f; 7-j; 8-d; 9-k; 10-h; 11-i.

8

1. Dice que habla alemán muy bien. 2. Ya sabes que no le gustan mucho las motos. 3. Pues yo voy a la playa muchos fines de semana. 4. Tu pueblo está muy cerca de aquí, ¿verdad? 5. Esta mañana he estado en el mercado y he comprado muchas cosas. 6. Oye, estos macarrones están muy buenos, ¿eh? 7. En tu pueblo llueve mucho, ¿no? 8. Él dice que no, pero la verdad es que come muchas galletas. 9. Yo, los viernes, me acuesto muy tarde. 10. En Moscú hay muchos parques, ¿verdad? 11. Yo, el café, lo prefiero con mucho azúcar. 12. Los sábados por la mañana hay mucha gente comprando en el mercado.

DESCUBRE ESPAÑA Y AMÉRICA LATINA

11 b

1. Hostales, pensiones y paradores nacionales.
2. Una, dos o tres estrellas.
3. El precio / Que están dirigidos por la familia propietaria.
4. Las pensiones.
5. El lugar / El edificio.

lección 12

1 a TIEMPO LIBRE:

siesta, partido, paseo, Internet, inauguración, conferencia, película, excursión.

b POSIBLES RESPUESTAS:

siesta: dormir; partido: jugar; paseo: dar; Internet: navegar; inauguración: asistir; conferencia: escuchar; película: ver; excursión: ir.

2 a

Positivo: excelente, genial, precioso, estupendo.
Negativo: un rollo, horroroso, horrible.

3

cara: carísima; guapos: guapísimos; larga: larguísima;
cortas: cortísimas; contento: contentísimo; cansada: cansadísima;
rápidos: rapidísimos; divertidas: divertidísimas; fácil: facilísimo;
difícil: dificilísimo/a.

4 a

Horizontales: pudimos; oyó; durmieron; vinisteis.
Verticales: leyó; pidieron; dijimos; siguió; pusiste; repitieron.

b

e → i: Pedir, seguir, repetir; o → u: dormir; y: oír, leer;
otras irregularidades: poder, venir, decir, poner.

5

1. Anoche invité a Mercedes y Paco a cenar y me **reí** mucho con ellos; son graciosísimos. 2. El otro día vi la última película de Fernando León y me **gustó** mucho; es muy original. 3. Pues a mí la conferencia de ayer me **pareció** aburridísima y demasiado larga. 4. La clase de hoy ha estado muy **bien**; a mí me ha parecido muy interesante. 5. El sábado estuve en un concierto buenísimo y me **lo** pasé muy bien. 6. Me **encantaron** las cosas que me dijiste ayer por teléfono.

soluciones

6

1. estuvo, encantó; 2. quedé, pasamos, reímos, aburrí; 3. gustó, pareció; 4. fue, jugaron.

DESCUBRE ESPAÑA Y AMÉRICA LATINA

10 a

1. Verdadero; 2. Falso; 3. Falso; 4. Verdadero; 5. Falso.

1 a

premio, asignatura, aprobar, travieso, castigar, juguete.

2

hago: hacía; juegas: jugabas; es: era; salen: salían; estudia: estudiaba; bebemos: bebíamos; vais: ibais; castigan: castigaban; puedes: podías; veo: veía; viene: venía; damos: dábamos.

4 b

Vivía; trabajaba; era; iba; castigaban; tenía; tocaba; escuchaba; iba; reunía.

6 a POSIBLES RESPUESTAS:

La ropa de los hombres y las mujeres: los hombres llevaban sombrero; las mujeres llevaban vestidos largos.
El transporte: no había automóviles; había coches de caballos y tranvías. La gente iba/viajaba en coches de caballos y tranvías.
El tráfico: no había mucho tráfico/había menos tráfico que ahora. No había semáforos.

1 a

1. Cartera; 2. Peine; 3. Mochila; 4. Pañuelo; 5. Jabón.
6. Calculadora; 7. Cepillo; 8. Ordenador; 9. Toalla; 10. Tijeras.

2 POSIBLES PREGUNTAS:

1. ¿De qué es?; 2. ¿De qué color es?; 3. ¿De quién es?;
4. ¿Cómo es?; 5. ¿Dónde está? 6. ¿Para qué es?
Es un peine.

3 a

Una toalla.

4 a

Unas gafas de sol.

5 a

Tonto: estúpido; considerar: tomar por.

6

1. Te; la; me;
2. Se; lo, se.

DESCUBRE ESPAÑA Y AMÉRICA LATINA

9 b POSIBLES RESPUESTAS:

Siglo xv. El cepillo de dientes apareció representado por primera vez en un cuadro chino del siglo xv. **Siglo. XVII.** En el siglo xvii se introdujo en Europa. **1920.** En 1920 se empezó a producir el cepillo de dientes en masa y la gente en general comenzó a lavarse los dientes. También se produjo el primer dentífrico.

1 a

1. Contaminación; 2. Curar; 3. Petróleo; 4. Espejo; 5. Cáncer;
6. Boda; 7. Emigrar; 8. Soñar; 9. Aumentar; 10. Especie;
11. Supersticioso.

2 a

Horizontales: querremos; harán; daré; sabrás; pondréis; veremos.
Verticales: será; vendré; irás; podrán; dirán; tendréis.

b

Regulares en futuro: dar, ver, ser ir. **Irregulares en futuro:** querer, hacer, saber, poner, venir, poder, decir, tener.

7 a POSIBLES EMPAREJAMIENTOS:

1-C; 2-E; 3-B; 4-D; 5-A.

DESCUBRE ESPAÑA Y AMÉRICA LATINA

10 a

"El día de mañana".

b

Decían; pasaban; están; ha llegado.